1

Ensayos
de la
novela española
moderna

POR

JOSE ORTEGA

EDICIONES

José Porrúa Turanzas, S. A.

MADRID

Dep. legal M. 14.003.-1974.

I. S. B. N. 84-7317-044-X.

PRINTED IN SPAIN
IMPRESO EN ESPAÑA

Ediciones José Porrúa Turanzas, S. A.
Cea Bermúdez, 10.-Madrid-3

TALLERES GRAFICOS PORRUA
JOSE, 10.-MADRID

A Tish, paciente compañera.

INDICE

INTRODUCCION

Se recogen en *Ensayos de la novela española moderna* algunos trabajos en torno a cinco novelistas españoles de nuestro tiempo: Cela, Sánchez Ferlosio, Antonio Ferres, Martínez Menchen y Juan Benet.

Después de un análisis del «tremendismo», en la obra de Cela se estudia el complicadísimo montaje de *La Colmena,* obra que marca el apogeo y agotamiento en la carrera novelística de este autor. Sánchez Ferlosio en sus dos novelas, *Industrias y andanzas de Alfanhuí* (1951) y *El Jarama* (1956), nos ofrece un extraordinario ejemplo de su habilidad en la profundización poética del lenguaje. La indagación intersubjetiva de unos alienados personajes ubicados en la sociedad de consumo estadounidense, es el tema de *En el Segundo Hemisferio* (1970) de Antonio Ferres, obra en la que el novelista incorpora una serie de nuevos procedimientos narrativos exigidos por una problemática un tanto alejada del realismo crítico español hasta entonces cultivado por este autor. *Ocho, siete, seis* (1972), la última novela de Ferres, está inscrita dentro de esa preocupación del autor por explorar en la mente de sus personajes el extraño sistema de relaciones intrasubjetivas e interpersonales que puedan explicar su trágica soledad. Las dos obras de Martínez Menchén, *Cinco variaciones* (1963) y *Las tapias* (1968), acusan una clara preocupación por testimoniar las circunstancias —contexto histórico-social de la España de la década de los cincuenta— internamente enfrentadas con la participación moral del novelista ante el abandono del hombre por sus semejantes y por Dios. La soledad del hombre español aparece examinada en el drama de la enajenación individual que sufren los personajes de *Cinco variaciones,* los cuales han perdido o han sido privados de la capacidad para establecer comunicación humana. Esta forma de alienación se agudiza en *Las tapias,* donde los entes de ficción funcionan como alienados clínicos.

En la trilogía de Juan Benet: *Volverás a región* (1967), *Una meditación* (1970) y *Un viaje de invierno* (972), se estudia el carácter temporal de la infructuosa búsqueda de unos conflictivos seres que profundizan en su ruina moral tratando de tomar conciencia de su mismidad, de su destino.

En las páginas que integran este volumen se ha intentado hacer una valoración del arte narrativo de estos cinco narradores, basándose en aquella obra u obras que mejor ejemplifican la contribución de cada al enriquecimiento de la novelística española de posguerra.

La «Generación de 1950» marca la aparición de una serie de novelas caracterizadas por una preocupación socio-política, expresada formalmente mediante una técnica objetivista, no exenta de lirismo, que servía adecuadamente al planteamiento estético de esta postura ideológica. Intentaban estos escritores —López Pacheco, J. Goytisolo, Caballero Bonald, Alfonso Grosso, López Salinas, Antonio Ferres, Martínez Menchén, etc.— analizar las causas históricas que provocaron la crisis de la Guerra Civil, a través de la pintura de las anomalías sociales, protagonizadas por las clases trabajadoras, sector que se mitificaba según cierto criterio populista de la época.

El mejoramiento del nivel de vida española, así como los avances técnicos, especialmente la popularización de los así llamados medios de «comunicación» (automóvil, teléfono, avión) contribuyen a poner al descubierto la confusión, el caos mental y la soledad del ser humano, el cual intersubjetivamente, es obligado a constatar la validez de un orden físico, metafísico y mitológico, con los cuales había satisfactoriamente operado, pero que en el tiempo presente empiezan a perder vigencia. El evidente progreso económico del país ha proyectado al novelista de la «Generación de Medio Siglo» hacia nuevos rumbos estéticos, y como a toda nueva situación corresponde una nueva forma de novelar, el escritor de esta corriente se ha visto obligado a renovar su instrumental literario para poder captar la siempre mudable y paradójica realidad española.

Martín-Santos es el precursor de la corriente novelística española cuyos autores basan su oficio en una aprehensión más totalizadora del ser, es decir, en la conexión con la realidad inmediata interna y externa o relación con la sociedad y el mundo intersubjetivo, proceso desmitologizador que alcanza tanto a la ideología como a la estética.

La actual tendencia de introspección psicológica practicada por el novelista español, tiene como objeto expresar el vacío, el laberinto interno del ser humano, sin pretender —como el escritor decimonónico— ofrecer una explicación a los sentimientos y conducta del personaje. El escritor necesita recuperar cierta armonía espiritual en una realidad de palabras y conceptos donde poder detener la atomización o fragmentación del ser humano y encontrar de esta forma su libertad y la de sus criaturas de ficción. Los imprevistos cauces estilísticos por los que desemboca esta búsqueda de una realidad que signifique algo, podrían patentizarse en la distorsión lingüística de Martín-Santos, la ciencia-ficción de Sueiro, el psicoanálisis histórico de Juan Goytisolo, el problema de la alienación en la obra de Ferres, la indagación de la soledad en Martínez Menchén y el simbolismo faulkneriano de Benet.

PROCEDENCIA DEL MATERIAL INCLUIDO EN ESTE VOLUMEN.

«Antecedentes y naturaleza del tremendismo en Cela», *Hispania*, marzo 1965, pp. 21-28.

«El sentido temporal de *La Colmena*», *Symposium*, 1965, pp. 115-120.

«El humor de Cela en *La Colmena*», *Cuadernos Hispanoamericanos*, abril 1967, pp. 156-163.

«Tiempo y estructura en *El Jarama*», *Cuadernos Hispanoamericanos*, septiembre 1966, pp. 801-808.

«Recursos artísticos de Sánchez Ferlosio en *Alfanhuí*», *Cuadernos Hispanoamericanos*, diciembre 1967, pp. 626-632.

«La alienación de la soledad: *En el segundo hemisferio*, de A. Ferres», *Cuadernos Hispanoamericanos*, febrero 1972, pp. 355-364.

«*Ocho, siete, seis*: entre la ironía y la tragedia», *Montalbán* (2). Caracas, 1973, pp. 313-333.

«Antonio Martínez Menchén, novelista de la soledad», *Cuadernos Hispanoamericanos*, marzo 1973, pp. 462-482.

ANTECEDENTES Y NATURALEZA DEL TREMEN-DISMO EN CELA

La deformación grotesca de la realidad en la obra de Camilo José Cela es un fenómeno complejo, y que requiere un análisis de las diferentes razones que determinan, en este escritor, la desgarrada visión del mundo que nos ofrece en sus escritos.

El realismo naturalista —que en Cela recibe el nombre de tremendismo— ofrece en la literatura y en el arte españoles un constante cultivo. El mismo Cela, convencido de la frase de Eugenio D'Ors de que «todo lo que no es tradición es plagio», niega la falsa modernidad atribuida al tremendismo: «El tremendismo, a mi entender, no tiene padre, o, por lo menos padre conocido. El tremendismo, en la literatura española, es tan viejo como ella misma» (1).

En el siglo xv, en la *Celestina,* y en las coplas de «¡Ay, Panadera!» puede apreciarse la vertiente desgarrada del arte español, el polo escatológico, como apunta Cela: «La literatura española —en cierto modo como la rusa, por ejemplo, y a diferencia, en cierto modo también, de la italiana— ignora el equilibrio y pendula, violentamente, de la mística a la escatología» (2).

---

(1) CAMILO JOSÉ CELA. *La rueda de los ocios.* Barcelona. Ed. Mateu, 1957, p. 15.
(2) CAMILO JOSÉ CELA. Prólogo a *El gallego y su cuadrilla* en *Mis páginas preferidas.* Madrid. Ed. Gredos, 1956, p. 325.

Veamos un ejemplo de técnica tremendista en un pasaje de la *Celestina*:

> El *vno lleuaua todos los sesos de la cabeça de fuera, sin ningún sentido; el otro quebrados entramos braços e la cara magullada. Todos llenos de sangre, que saltaron de unas ventanas muy altas por huyr del aguazil; e assí casi muertos les cortaron las cabeças, que creo que ya no sintieron nada* (3).

Parecidos tonos de violencia se pueden observar en el siguiente pasaje de Cela: «Pisé un poco más fuerte... La carne del pecho hacía el mismo ruido que si estuviera en el asador... Empezó a arrojar sangre por la boca, se le fue la cabeza —sin fuerza— para un lado...» (4) El Arcipreste de Talavera, en este mismo siglo, nos ofrece en su *Corbacho,* además de un tratado doctrinal, un arte realista, irónico, que se recrea en las figuras que censura. El realismo descarnado de sus cuadros de costumbres representa, dentro de la literatura española, el puente entre el *Libro del buen amor* y la *Celestina.* En el proceso evolutivo de la prosa del siglo xv, hay, además de un evidente latinismo, un deseo de infundir a la prosa un nuevo vigor, imitando la lengua del pueblo, y dándole un carácter más realista, concreto y popular, familiar, y, a veces, desarticulado. La realidad de esta forma expresada gana en intensidad y expresividad. Lo escatológico en las descripciones es técnica de la que el autor del *Corbacho* hace frecuente uso: «Díxolo la madre al amigo, e amos determinaron que muriese el niño de diés años; e asy lo mató el amigo, e la madre e él lo soterraron en un establo. Fue descobierto por un puerco

---

(3) FERNANDO DE ROJAS. *La Celestina.* Madrid. Espasa-Calpe, 1932, p. 279.
(4) CAMILO JOSÉ CELA. *La familia de Pascual Duarte,* 9.ª ed. Barcelona. Ed. Destino, 1960, p. 161 (Todas las citas que se hagan en lo sucesivo se referirán a esta edición).

después, e asy se sopo» (5). Este incidente nos recuerda otro similar en el que Pascual Duarte encuentra a su hijo comido por un cerdo.

La picaresca, en el siglo XVI, tiene como uno de sus fines primordiales, la censura de la sociedad y las costumbres; la crítica será más positiva, y causará una más fuerte impresión, si aquello que se quiere impugnar aparece pintado con tonos fuertes y violentos, con el fin de realzar, examinar y juzgar todas las notas, facetas y ángulos de la realidad en la que el escritor desea integrarse para su comprensión. En relación con este fin de la picaresca Cela afirma que: «El novelista hoy tiene la obligación de desentenderse de Madame Bovary y el deber de prestar atención, mucha atención, al Lazarillo» (6). Cela, continuador de la picaresca, identifica la función del tremendismo con la intención moralizadora de este género:

Mas el antecedente de este estilo —tremendista— es el de las novelas ejemplares de nuestro gran siglo; novelas mal llamadas picarescas, porque la picaresca es en ellas un recurso para la ejemplaridad que es su verdadero fin (7).

En Cervantes puede verse cierto gusto por la deformación en la descripción que hace del señor Monipodio en *Rinconete y Cortadillo,* o en el retrato que de la Cañizares hacen Cipión y Berganza en *El coloquio de los perros.* Cela nos ha pintado, a través de toda su obra, una gran galería de seres deformes, y los tontos y ciegos de *Historias de España* son un buen ejemplo de la tendencia de Cela a la descripción de anomalías físicas.

El equilibrio entre realidad e idealidad reinante en el siglo XVI, se rompe en el XVII. El fracaso del hombre renacentista

---

(5) ARCIPRESTE DE TALAVERA. *Corvacho o reprobación del amor mundano.* Barcelona. Selecciones Bibliófilos, 1949, p. 92.
(6) CAMILO JOSÉ CELA. *La rueda de los ocios,* p. 13.
(7) CAMILO JOSÉ CELA. *La familia de Pascual Duarte.* Prólogo.

ante la imposibilidad de establecer unos valores trascendentales entre el hombre y la naturaleza, trae una actitud de desengaño y pesimismo. En el siglo XVII, para el escritor barroco, la realidad es un engaño, y podemos recrearnos en ella, ya que no puede servirnos como medio de conocimiento de la esencia divina. Esta actitud ascética produce un realismo exagerado que busca realidades allende de la que nos rodea. El escritor barroco sabe que deforma, pues no conoce la realidad, ya que no puede ser captada, pero es usada para comprobar lo perecedero de la misma realidad. Esta manera de buscar en el análisis de la realidad una fórmula espiritual a los males de la sociedad fue usada por Quevedo en el siglo XVII. Su visión de la humanidad desmesurada, amarga y angustiada, está determinada por el pesimismo que supone la contemplación de una España material y espiritualmente agotada, terminada, agonizante. El idealismo y el agonismo de Quevedo se nos ofrecen a través de la caricatura. Los tonos con que la realidad se pinta son tan fuertes y violentos —especialmente en la *Vida del Buscón* y en *Los sueños*— que ésta llega a desaparecer. Como comparación del gusto por lo desagradable en la descripción física véanse estos dos ejemplos. Pascual Duarte, al hacer la descripción de su madre dice:

> *Mi madre... era larga y chupada... tenía la tez cetrina y las mejillas hondas y toda la presencia de estar tísica... Tenía una pelambrera enmarañada y zafia... Alrededor de la boca se le notaban unas cicatrices o señales, pequeñas y rosadas como perdigonadas, que según creo le habían quedado de unas bubas malignas* (8).

Y Quevedo, al darnos el retrato del licenciado Cabra, escribe:

> *El era un clérigo cerbatana, largo sólo en el talle,*

---

(8) Ibíd., p. 48.

una cabeza pequeña, pelo bermejo... Los ojos aveci-
nados en el cogote, que parecía que miraba por cué-
vanos... la nariz entre Roma y Francia, porque se le
habían comido de unas búas de resfriado (9).

El siglo XVII es, en pintura, la gran escuela del realismo español. Pero es un realismo que no se limita a reflejar las cosas, sino que presenta la realidad exaltada, deformada, violentada, con el fin de buscar la verdad más allá de la pura apariencia. Francisco Herrera, Ribera, Zurbarán, son las figuras más representativas de esta estética del «realismo español». El punto culminante de este arte realista lo ofrece la figura de Velázquez, el cual trata de decirnos en sus cuadros que en la realidad, las cosas están presentes de una forma espectral, indiferente a la vida. Tomando de las cosas lo que tienen de entidad visual, las traslada al cuadro de manera que, sin perder el carácter de cosas reales, se nos aparecen con un aire de irrealidad fantasmagórica y deformante.

Dentro de los pintores de tendencia antirrealista Goya ocupa un lugar prominente en el arte español. Trata este artista —especialmente en sus *Caprichos* y *Disparates*— de buscar, como Cela en sus escritos, la raíz del hombre, mostrándonos su indignidad, sin paliativos de ningún tipo. Tanto las figuras de los bosquejos de Goya, como los personajes de Cela en *La Colmena* tienen un carácter luminoso. La luz, admitida o reflejada, da a las figuras y a los personajes unos contornos oscuros y vacilantes (10). Como ilustración valga este ejemplo de *La Colmena*: «... a la incierta lucecilla del

---

(9) Francisco de Quevedo y Villegas. *Vida del Buscón*. Madrid. Espasa-Calpe, 1951, p. 25.
(10) «La lámpara de globos verdes del techo, aparece apagada. La lámpara de globos verdes no tiene bombilla, está de adorno. La habitación se alumbra con una lámpara sin tulipa...», p. 248.
«La luz tiembla un instante en la bombilla, hace una finta y se marcha. La tímida azulenca llama de gas lame, pausadamente, los bordes del puchero». Camilo José Cela. *La Colmena*, 3.ª ed. Barcelona-México. Ed. Noguer, 1957, p. 99 (Todas las citas que en el futuro se hagan sobre esta novela se referirán a esta edición).

gas, Martín tiene un impreciso y vago aire de zahorí» (11). Refleja este oscuro personaje la luz —que ni siquiera es eléctrica, porque procede del gas— de una forma tan velada, que de él sólo recibimos unas líneas confusas e intermedias. El predominio de sombras lo crea Cela mediante la acumulación de términos relacionados con la vacilante luz, tales como: «incierta» «lucecilla» —el diminutivo resta intensidad—, «gas», «impreciso», «vago», «zahorí» —persona que descubre lo oculto, lo que está entre sombras—.

La luminosidad crea un ambiente en que las formas de las figuras adquieren inmediatez plástica. La fotografía hace destacar ciertos planos que el escritor considera esenciales y significativos —mientras que el fondo, que no interesa, no se trata de mostrar, y aparece envuelto en sombras, que la luz, detenida en los primeros planos, no alcanza. Así, en el incidente que Martín, el personaje central de *La Colmena,* tiene con un policía que lo detiene para pedirle la documentación —escena que tiene lugar a la luz de un farol— el único elemento que se destaca, por ser el que interesa, es el diente de oro del policía, símbolo del poder económico que todo el mundo acata, mientras que el pobre escritor Martín nunca ha sido reconocido por la sociedad, a causa del desprecio que ésta siente por el que carece de bienes materiales.

La técnica del apunte, del bosquejo, tiene, además del valor estético y plástico, como objetivo principal, mostrar lo fugaz, inacabado y vacío de la realidad que describe, la cual, como la vida misma, tiene un carácter transitorio, caduco y breve. El deseo de Cela de reflejar lo temporal, relativo y desesperanzado de la existencia humana ha sido interpretado, por parte de la crítica (12), como incapacidad para el desarrollo de sus personajes.

---

(11) Camilo José Cela. *La Colmena,* p. 100.

(12) «... pocas tintas y violentas debe de completar el mapa de cada una de las personas» (Gonzalo Torrente Ballester, «*La Colmena,* cuarta novela de Camilo José Cela». *Cuadernos Hispanoamericanos.* Madrid, julio-agosto, 1951, pp. 96-102).

«*La Colmena* nos sabe a poco, porque ninguno de sus personajes

Aparte de las analogías mencionadas, hay diferencias fundamentales entre Goya y Cela. El primero, en sus *Caprichos* y *Disparates,* nos da una visión implacable, ruda y brutal del mundo, la distorsión de la realidad es violenta, y la pintura del hombre grotesca y sin ilusión. La estupidez y crueldad humanas están vivas solamente desde el ángulo pesimista. La deformación no tiene en Cela la despiadada violencia tan típica en Goya, pues hay en el novelista muchos brotes de ternura y amor (13) que no aparecen en el pintor. Indudablemente hay razones históricas, morales y personales que justifican la actitud y visión del mundo de cada uno.

La visión trágico-grotesca de la realidad aparece en Solana, pintor y escritor favorito de Cela, y a quien éste dedicó su discurso en la Real Academia. Los tonos negros, ocres de este pintor tratan de poner al descubierto la verdad que hay debajo de las cosas. Por esta senda de lo exagerado y grotesco trata Cela de expresar el sentido y filosofía de la vida en sus novelas.

El «realismo exagerado» de Cela tiene su inmediato precedente en el realismo que como movimiento literario surge en España en el siglo XIX. El realismo costumbrista de algunos escritores de esta centuria —como Pereda en *Sotileza*— está impregnado, a veces, de unos tonos violentos que imprimen sordidez a la realidad, rebajándola, como en el caso de la deformación física —reflejo de la fealdad espiritual— de los personajes Sargüeta y Carpio. El realismo, en este caso, más

---

se detiene lo bastante para que podamos agarrarlo un poco e intimar con él. Son siluetas que desfilan una y otra vez como transeuntes apresurados, son bocetos magníficos, sugerentes, cargados de vida que imaginamos apasionante, pero que el autor no se propone desarrollar sino en esquema» (Juan Luis Alborg, *Hora actual de la noleva española.* Madrid. Ed. Taurus, 1958, pp. 79-124).

(13) Hay mucho de disimulada ternura en la pintura de Elvira y Martín Marco en *La Colmena.* Las relaciones entre Roberto González y su esposa Filo están impregnadas de afecto y amor. El hijo de la señora Leocadia— otro de los personajes de esta novela— nos muestra su amor en el acto de venir a recoger cada noche a su madre para llevarla a casa. El gitanillo pobre es un desgraciado ser por el que el lector no puede dejar de sentir compasión.

que copiar, exalta el aspecto negativo y grotesco de los seres con el fin de señalar más claramente la diferencia entre lo que la realidad es y lo que debería ser, entre la realidad del mundo y la realidad —en este caso «irrealidad»— del autor.

Valle Inclán, a partir de 1919, nos ofrece en su esperpento una estilización deformada de la realidad, donde los personajes se reducen a simples caricaturas. Esta nueva visión raya en lo trágico y grotesco, y aparte de la pura diversión estética en la fealdad, hay en todo el esperpento un reflejo de la indignación moral ante esa realidad que sentimental y sensitivamente repugna al escritor, ante esa España vacía, caricatura de un glorioso pretérito. Claramente expresa el personaje Max Estrella, en *Luces de Bohemia* (14) la preocupación, típicamente noventayochista, por el futuro español.

Pío Baroja, especialmente en la trilogía de *La lucha por la vida,* hace uso de una técnica «macabrista», de un fuerte realismo, de una tendencia a ennegrecerlo todo, que tiene como fundamento la misma corriente ideológica que poseen los miembros de la «Generación del 98», unida a un amargo pesimismo que encierra mal la gran sensibilidad y aire burlón del autor vasco. En su propensión al ennegrecimiento, a las notas tristes, Cela se manifiesta discípulo «predilecto» de Baroja (15).

La visión trágico-grotesca del mundo alcanza una violenta expresión en la obra de Picasso (Guernica), pintor que expresa la crueldad y violencia de su tiempo mediante la distorsión violenta de las figuras.

---

(14) RAMÓN MARÍA DEL VALLE INCLÁN. *Luces de Bohemia. Esperpento.* Madrid. Renacimiento, 1924, escena 24.

(15) «Danzaban las claridades de las linternas de los serenos en el suelo gris, alumbrado vagamente por el pálido claror del alba, y las siluetas negras de los traperos se detenían en los montones de basura, encorvándose para escarbar en ellos» (Pío BAROJA. *La busca.* Madrid. Rafael Caro Raggio, 1920, p. 233).

«Unas mujeres buscan en los montones de basura. Algún hombre ya viejo, quizás impedido, se sienta a la puerta de una choza, sobre un cubo boca abajo, y extiende al tibio sol de la mañana un periódico lleno de colillas» (CAMILO JOSÉ CELA. *La Colmena,* p. 339).

El realismo violento se puede apreciar en la obra de López Pinillos (1855-1922), *Cintas rojas,* antecedente claro del tremendismo. Enrique Noel (1855-1936) nos presenta también en su obra *Las siete cucas* una tendencia por los tonos y ambientes sombríos. Ciro Bayo (1852-1939), autor de *El Lazarillo español,* nos da en su relato el plano escatológico de la realidad española. El origen del término tremendista, según el propio Cela (16), hay que atribuírselo al poeta Zubiaurre o al crítico Vázquez-Zamora.

En el antirrealismo, la deformación encierra —como anteriormente hemos señalado— además de una postura estética, una preocupación de orden moral. Siempre ha existido y existirá, un grupo de escritores que con sus obras tratan de señalar y poner remedio a los problemas espirituales y materiales de su época, y si se considera que estas crisis morales y económicas representan una constante en la historia de la humanidad, puede decirse que el realismo exagerado, en su aspecto ético, tiene muy largos precedentes. El asco espiritual de los escritores y pintores mencionados, o su desengaño, encuentra su expresión más acertada y convincente en la caricatura angustiada y violenta de la sociedad que éticamente les repugna.

Cela ha negado que la literatura sea simplemente una forma de distracción (17) y lo que, mediante su desgarrado arte, ha querido manifestar es la angustia del hombre de su tiempo.

El gusto por lo tremendista se empieza a manifestar en los primeros escritos de Cela (18) y esta vena tremendista se

---

(16) «se disputan su invención —la del tremendismo—, a juicio de los historiadores, el poeta Zubiaurre y el crítico Vázquez-Zamora» (*La rueda de los ocios,* p. 15).

(17) «Escuece darse cuenta de que las gentes siguen pensando que la literatura, como el violín, no hace daño a nadie. Y ésta es una de las quiebras de la literatura» (Nota a la segunda edición de *La Colmena*).

(18) En *Pisando la dudosa luz del día,* Barcelona, Ed. Zodíaco, 1945, escrito en 1936, Cela traduce en violentos versos la angustiada situación que su época corría:
«En este instante, ¡oh muerta!, en que navajas, tréboles
o espartos moribundos dan sabor a tu boca,
en que huracanes trémulos, musgos recién nacidos

ha conservado hasta en sus últimos relatos (19). Sin embargo, el apogeo de esta técnica, basada en lo desgarrado, violento y horroroso de los temas y las situaciones adquiere su más acertada expresión en *La familia de Pascual Duarte* y se continúa en *El gallego y su cuadrilla. Y otros apuntes carpetovetónicos, La Colmena* e *Historias de España, Los ciegos, Los tontos.*

Esta técnica tremendista propone eliminar la realidad, que por corriente, carece de expresividad y veracidad, para presentar al lector la verdadera, la cruda y, a menudo, desagradable. Dice Cela en el prólogo de *La familia de Pascual Duarte*:

> *... la tremenda historia de Pascual Duarte, como la de los héroes griegos o la de algunos protagonistas de la gran novela rusa, es tan radicalmente humana que no pierde un solo instante el ritmo de armonía de la verdad; y la verdad jamás es monstruosa ni inmoral, aunque en ocasiones irrite la pituitaria y haga estornudar al quisquilloso fariseo.*

El ambiente tremendista que envuelve el relato de *La familia de Pascual Duarte,* no es sino el reflejo de la violencia y brutalidad de que habían sido testigos los personajes de la novela en los inmediatos años a la guerra civil. Pascual Duarte es una ejemplificación, naturalmente exagerada, que trata de

---

o gusanos sin boca son dueños de tus senos».

Y en la revista *Garcilaso*, mayo de 1945, núm. 25, escribe:

«Sobre vuestro recuerdo, cien generaciones de desgracia llorarán; el llanto apoyado en la violenta cabeza de los hijos, como la torva alondra que ríe en los entierros de las niñas.

Y el niño que ríe, siniestro, sobre el pan podrido del odio».

(19) En *Gavilla de fábulas sin amor* (Palma de Mallorca. Papeles de Son Armadans, 1962), podemos leer: «En las más pobres ventanas, ¡qué alto, el palomar!, de cada pueblo... vive lata leprosa, ayer aún cárcel del pimiento morrón o de la prieta carne de membrillo, en la que brota, casi mágicamente, el violento clavel rojo de sangre: dispuesto siempre a quebrarse para adornar el pecho del gitano al que la roja puñalada reventó y desangra, igual que a un ciervo herido, en despoblado».

hacer más patente la verdad de la trágica situación española. La bárbara justicia de Pascual Duarte es la misma forma de justicia gratuita aplicada con harta frecuencia durante los años de la contienda civil.

Las citas de la técnica tremendista en *La familia de Pascual Duarte* nos obligaría a reproducir buena parte de la novela. Baste un ejemplo en que el autor expresa preocupación moral; es este caso la insensibilidad y crueldad de los niños, en esta escena:

> *¿Qué maligna crueldad despertará en los niños el olor de los presos?; nos miran como bichos raros, con los ojos todos encendidos, con una sonrisilla viciosa por la boca, como miran a la oveja que apuñalan en el matadero —esa oveja en cuya sangre caliente mojan las alpargatas—, o al perro que dejó quebrado el carro que pasó —ese perro que tocan con la varita por ver si está vivo todavía—, o los cinco gatitos a los que sacan de vez en cuando por jugar, por prolongar un poco la vida —¡tan mal los quieren!— (p. 99).*

En *El gallego y su cuadrilla. Y otros apuntes carpetovetónicos*, nos muestra Cela la cruel impasibilidad de algunos de los seres de la que él llama «España árida»:

> *La corrida de toros ha terminado. Aún no se han ido las autoridades del balcón —estas autoridades son las que han ordenado al torero que matara al toro rápidamente, porque el público tenía ganas de sangre. Este apresuramiento en la acción del torero ha determinado su cogida y muerte; en este momento agoniza solo— del Ayuntamiento, y aún los mozos más jóvenes, los que todavía no están emparejados, no acabaron de empapar en sangre los pisos de esparto de las alpargatas. Las alpargatas mojadas en sangre de toro duran una eternidad; según dicen cuando a la sangre*

de toro se mezcla algo de sangre de torero, las alpar-
gatas se vuelven duras como el hierro y ya no se rom-
pen jamás (20).

La inhumanidad de los personajes de Cela puede también verse en *La Colmena*:

> *Hay gentes a las que divierte ver pasar calamidades*
> *a los demás; para verlas bien de cerca se dedican a*
> *visitar los barrios miserables, a hacer regalos viejos*
> *a los moribundos, a los tísicos arrumbados en una man-*
> *ta astrosa, a los niños anémicos y panzudos que tienen*
> *los huesos blandos, a las niñas que son madres a los*
> *once años, a las golfas cuarentonas comidas de bubas:*
> *las golfas que parecen caciques indios con sarna* (p. 81).

Y en *Viaje a la Alcarria* de nuevo se nos muestra la crueldad en el siguiente incidente:

> *Pasa por la plaza un mendigo adolescente, tonto,*
> *a quien falta un ojo... El tonto tiene una descalabra-*
> *dura, aún sangrante, en la cabeza... Con una voz chi-*
> *llona, cascada, estremecedora, el tonto canta:*
> > *Jesús de mi vida,*
> > *Jesús de mi amor,*
> > *ábreme la herida*
> > *de tu Corazón.*
> *Una mujer con un niño a cuestas se ha asomado a*
> *un portal. —¡Lástima no reventases, perro!* (21).

Y en *La catira* también puede verse un ejemplo de la cruel-dad humana:

---

(20) Camilo José Cela. *Mis páginas preferidas*. Madrid. Ed. Gredos, 1956, p. 352.
(21) Camilo José Cela. *Viaje a la Alcarria*. Madrid. Espasa-Calpe, 1961, p. 110.

La india María arrastró de un pie al cadáver del guate Trinidad Pamplona. La india María lo dejó en medio del campo, en un calvero del yerbazal con la cara levantada para que los zamurros le vaciasen los ojos. Y le mondasen las carnes hasta dejarlo en la pura güesamenta (22).

En otra ocasión —*Historias de España, Los ciegos y los tontos*— las autoridades organizan un juego en el que un grupo de tontos ciegos se matan a palos entre el regocijo y la animación del público.

Lo que asombra al lector, en estos últimos ejemplos citados, no son las anomalías de los seres tarados que Cela nos presenta, sino la crueldad e indiferencia de los seres normales ante las desgracias de los demás. Es sintomático también el empleo de tipos pueblerinos y niños donde lo natural, la crudeza que quiere señalar, se da de una forma llana, simple, descarnada.

Lo tremendista es usado por Cela, a veces, con un fin puramente efectista. Amontonando términos feos, desagradables y repugnantes, trata simplemente de producir en el lector las sensaciones de horror y asco. No existen, en este caso, ninguna motivación de carácter ético, sino simplemente el puro recreo en lo horroroso. Los siguientes ejemplos muestran el puro juego tremendista del arte celiano. En *Nuevas andanzas y desventuras del Lazarillo de Tormes* se puede leer:

> *Lo miré un instante, por última vez. Por la boca le corría una araña de largas patas que se paraba, de cuando en cuando, para ver mejor el terreno que pisaba; por los oídos andaban un par de hormigas, buscando quizá el camino que llevaba a los sesos del señor Felipe...* (23).

---

(22) Camilo José Cela. *La catira*. Barcelona. Ed. Noguer, 1955, pp. 102-103.
(23) Camilo José Cela. *Nuevas andanzas y desventuras del Lazarillo de Tormes*, incluido en *Mis páginas preferidas*, pp. 92-93.

Y en «El misterioso asesinato de la Rue Blanchard», al describirnos a la mujer del protagonista nos dice: «... su mujer que era muy bruta, con un ojo de cristal que manaba una agüilla amarillita y pegajosa como si todavía destilara del ojo de carne que perdiera en Burdeos...» (24). Y en otro cuento, «Timoteo, el incomprendido», también se puede apreciar el gusto por lo escatológico:

> Las niñas eran también de especies muy variadas: niñas que eran igual que aves zancudas, niñas de color de sardina, niñas con nariz de loro, niñas que olían mal, niñas algo calvas, niñas estrábicas, niñas que crecían sólo de un lado, niñas ruines con las orejas despegadas (25).

Y en *Mrs. Caldwell habla con su hijo*:

> Allá donde se aman los gatos más escuálidos, donde se asfixian los músicos que se volvieron tísicos de tocar la corneta, donde se pudren las cabezas de los pescados, donde orina el vendedor ambulante, donde da de mamar a su hijo la sonrosada rata del cólera (26).

El humor tremendista, negro, trata de caricaturizar la trágica realidad de su época y sus habitantes, acentuando lo que se quiere poner de manifiesto. Dicha intención nos la aclara el mismo Cela:

> Cuando el humorismo es sincero, esto es, cuando

---

(24) CAMILO JOSÉ CELA. «El misterioso asesinato de la rue Blanchard», incluido en *Esas nubes que pasan*. Nuestra cita se refiere a la página 312 de la antología de Beatrice P. Patt y Martin Nozick, *The Generation of 1898 and After*. New York. Dodd, Mead and Co., 1962, p. 312.
(25) CAMILO JOSÉ CELA. «Timoteo el incomprendido», incluido en *El molino de viento*. Barcelona. Ed. Noguer, 1956, p. 134.
(26) CAMILO JOSÉ CELA. *Mrs. Caldwell habla con su hijo*. Barcelona. Ed. Destino, 1953, p. 144.

espontáneamente, a su tiempo, de los humores vitales
y no por artificio de oficio y beneficio, es más ni menos
que un modo pulcro de decir las cosas necesarias que
sin humorismo serían difíciles de decir (La familia,
p. 13).

El humor y la crueldad, sin embargo, aparecen frecuentemente unidos en los escritos de Cela. Y así lo podemos ver
en *Pabellón de reposo*: «Se destapó por completo para morirse;
tiró la sábana al suelo y apareció en cueros bañado en sangre...
¿Sabéis lo único que tenía puesto en todo su cuerpo?... Los
calcetines y las ligas... Ja, ja, ja» (27). Y en *La Colmena* también puede verse este humor tremendista: «A Fidel Hernández,
que mató a la Eudosia, su mujer, con una lezna de zapatero, lo
condenaron a muerte y lo agarrotó Gregorio Mayoral en el
año 1909. Lo que él decía; Si la mato a sopas con sulfato no
se entera ni Dios» (*La Colmena,* p. 42).

El tremendismo de Cela está basado, en parte, en la sico-
logía de la masa española, y en el propio carácter del escritor.
El público de la posguerra era idóneo para absorber relatos
sangrientos, y Cela se los proporcionó. Este éxito inicial de
Cela, de tipo puramente tremendista, provocó el afianzamiento,
y, a veces, la explotación de esta vena tremendista del autor.

El pesimismo connatural en Cela se proyecta en sus escritos. El mismo autor ha manifestado en diversas ocasiones su
innata propensión a ver las cosas en sus aspectos más desagradables y desfavorables.

> *Lo que sucede no es más sino que la tremenda rea-*
> *lidad del hambre y del oprobio, el inexorable y fatal*
> *momento de la muerte y ese negro vencejo de la duda*
> *que anida en todos los corazones, son el único deno-*
> *minador común que a las vidas puede encontrarse y se-*
> *ñalarse* (28).

---

(27) CAMILO JOSÉ CELA. *Pabellón de reposo,* 3.ª ed. Barcelona.
Ed. Destino, 1957, p. 115.
(28) CAMILO JOSÉ CELA. *La rueda de los ocios,* p. 17.

Y en *Mrs. Caldwell habla con su hijo,* nos dice: «La gente que pasa por la calle, hijo mío, no es varia y divertida, como podría suponerse, sino aburrida, resignada y monótona» (p. 202). El fatalismo, esa característica tan asociada con el español, es reconocida por Cela como algo que pesa sobre la vida de todos sus personajes: «También, como en *La familia de Pascual Duarte* y como, en general, en toda mi obra, la acción viene lastrada por la presencia puntual del fatum» (*Mis páginas,* p. 47).

Resumiendo diremos que entre los diversos factores que explican el fenómeno del tremendismo en Cela hay que destacar: 1. Tradición artístico - literaria española, que ofrece ejemplos de la tendencia desrealizadora que Cela usa en sus escritos. 2. Motivación de origen ético. La deformación, el tremendismo tiene su origen en la preocupación de orden moral que plantea la época. El asco espiritual del autor, su desengaño, encuentran su expresión en la caricatura angustiada y violenta de la sociedad que éticamente le repugna. 3. Cela y su circunstancia histórico-literaria. El ambiente de posguerra civil formado de un público bien familiarizado con lo trágico y brutal de la vida, así como la natural crisis de la novela, favorecieron la implantación de la escuela tremendista. 4. Pesimismo connatural en Cela. El hecho de ver o tratar de ver en el mundo lo desagradable y negativo justifican, en parte, la inclinación de Cela por lo pesimista y deforme. A veces, esta tendencia llega incluso al recreo efectista del aspecto feo de la realidad.

EL SENTIDO TEMPORAL EN
«LA COLMENA»

Para interpretar justamente el valor literario de *La Colmena* de Camilo José Cela hay que conocer y analizar las formas temporales, uno de los más característicos recursos estilísticos usados por el autor en la gestación de esta novela. Por cuestiones de método, el tiempo, concepto indivisible a causa de su inmaterialidad e irracionalidad, aparece separado en dos: 1) tiempo donde transcurre la existencia, 2) expresión novelística de este tiempo.

El tiempo «real».

La Colmena no es atemporal. En ella la acción tiene lugar en tres días, en Madrid, y en el año 1942. A la vez es intemporal ya que el tiempo, como elemento intrínseco a la existencia, no conoce ilación ni orden. Cela trata de captar en su novela la realidad de la existencia de sus personajes, y ésta se da de una forma simultánea y progresiva. La vida, los hombres y sus acciones se diluyen en el tiempo que no se puede aprehender. La repetición, mecanización de los actos humanos, consiste en la reiteración del tiempo, y éste, aliado a la muerte, es el que da carácter fatalista al universo, porque la continua vuelta a los padecimientos materiales y espirituales, al prolongar el sufrimiento de los que los soportan, aumenta lo absurdo del mundo. La muerte, aguardada sin esperanza, representa la culminación y liberación de la infelicidad de sus vidas.

La temporalidad en *La Colmena* es el elemento fundamental que envuelve y aprisiona a todos los personajes. Dice Ortega y Gasset (1): «que la sustancia de la vida es el cambio», y «que la vida es permanente continuidad dentro de la cual se dan los distintos procesos que pasan». Esto, lo temporal y repetitivo de la existencia, es lo que Cela quiere mostrarnos con su «maquinilla de fotógrafo», según propia expresión (2). Tiene plena conciencia de las posibilidades y limitaciones —quizás ilimitaciones— del género novela cuando nos afirma: «la novela es un algo fluctuante, eternamente en danza, que no se puede captar porque es la vida misma: un algo que no ha cuajado como la vida misma tampoco» (3). *La reanudación del relato, la repetición, indican que la angustia volverá de nuevo, todo retornará, incluso la irracionalidad del mundo.* Este se hace y se destruye a cada pulsación temporal, lo «inhumano» del vivir se expresa en el desorden. Cela, espíritu analítico, trata del captar la sucesión de presentes donde el hombre absurdo se halla inmerso. *En el análisis que Cela trata de hacer de lo real, es el presente lo que cuenta.* La repetición de instantes y acciones en la novela indican que no hay un fin a la trágica condición del hombre. La muerte daría finalidad a la vida, pero como la vida no tiene sentido, la idea cristiana de la muerte desaparece. Sin embargo, en el monocorde fluir del tiempo, no sólo se nos revela el destino fatal del hombre, sino que, a la vez, es en el constante volver del tiempo, donde el hombre puede encontrar respuesta a los problemas que su condición humana le plantea. El hombre se halla inmerso en el tiempo, y ha de hacer frente al mundo desde el marco de su temporalidad. *La comprensión del ser hay que hacerla en función del tiempo, pues la esencia del hombre es su exis-*

(1) José Ortega y Gasset. *La deshumanización del arte.* Madrid. Revista de Occidente, 1960.

(2) Camilo José Cela. «La miel y la cera de *La Colmena*», *Indice de Artes y Letras*, VI, núm. 44. Octubre, 1951, pp. 1, 21.

(3) Camilo José Cela. «A vuelta con la novela», *Insula*, II, núm. 17, mayo, 1947.

tencia —La Colmena nos presenta muchas existencias— y se existe en el tiempo.

El tiempo existencial es irreductible a la lógica, por lo tanto, el orden —o aquello que entendemos por tal— no aparece en la novela. Refiriéndose al particular dice Cela (4): «En mi novela las cosas van —o intentan ir— como van por la vida: atropellándose, empequeñeciéndose, confundiéndose y olvidando la marcha de las cosas. Ese es el orden del cosmos, a diferencia de lo que viene entendiéndose por orden». El tiempo es irreversible, tiene una dirección, cada momento, cada personaje, cada diálogo es una creación, un instante. La realidad de la vida es para Cela, como lo es para Bergson, un algo dinámico, un «élan» vital. El tiempo no puede medirse, no puede espacializarse, porque es vida, y la razón no puede captarlo porque lo destruiría. Esta es la causa por la que las acciones de la novela parecen sucederse atropelladamente. *Quiere instalarse Cela en la propia vida, en su intrínseca movilidad, en su realizarse; para captarla desde su interioridad hay que valerse de la intuición, la cual tiene un carácter irracional que es necesario superar.*

El problema, pues, de la comprensión de las existencias ofrece contradicciones. Cela, escritor muy racional, quiere mostrarnos que el único medio de comprender la vida es a través del instinto, pero a la vez se da cuenta de que el carácter intuitivo o el predominio de éste, es el que da a las existencias de los personajes de *La Colmena* esa nota de irracionalidad que les impide hacer consideraciones sobre su humana naturaleza.

La tragedia de los seres es que no saben qué hacer con el tiempo, porque representa para ellos la repetición de la cotidiana angustia, el problema de la diaria manutención. Dicha idea la expresa Cela de la forma siguiente: «La mañana sube poco a poco, trepando como un gusano por el corazón de los hombres y las mujeres de la ciudad; golpeando casi con mimo, sobre los mirares recién despiertos, esos mirares que jamás

_____

(4) CAMILO JOSÉ CELA. «La miel y la cera, etc.», pp. 1, 21.

descubren horizontes nuevos, paisajes nuevos, nuevas decoraciones. La mañana, esa mañana eternamente repetida, juega un poco, sin embargo, a cambiar la faz de la ciudad, ese sepulcro, esa cucaña, esa colmena» (5). Sin embargo, hay un personaje —quizá el único— que cree que el tiempo tiene un valor inmensurable. Es Martín Marco, que opina que: «... no hay tiempo para nada; yo creo que si el tiempo sobra es porque, como es tan poco, no sabemos lo que hacer con él» (p. 191). *Es éste solo personaje que llega a plantearse la cuestión de su existencia, y, aunque momentáneamente experimente la incoherencia del mundo y lo fortuito e inexplicable de su vida, le falta valor para asumir ninguna responsabilidad.*

El tiempo narrativo.

De la comparación de sus dos novelas más representativas —*La Colmena* y *La familia de Pascual Duarte*— se puede apreciar la forma en que Cela aplica la técnica temporal a dos temas distintos. *Pascual Duarte* es una novela lineal, una autobiografía, una confesión, mientras que en *La Colmena* predomina la tercera persona, toda la acción parece desarrollarse ante nuestros ojos mediante el uso del llamado presente histórico. Pascual Duarte es, además del protagonista, narrador, y por lo tanto sus observaciones han de limitarse temporalmente a lo que le ocurre, y el relato nos lleva siempre al pasado; cuando la narración está en tercera persona —como ocurre en *La Colmena*— el que relata se mueve con más libertad.

Los actos y situaciones de Pascual Duarte tienen un carácter etéreo, que mantiene la tensión dramática del actor y del lector durante el momento en que se desarrollan, perdiéndose posteriormente en la memoria del protagonista, como algo irreal y sin consistencia. Podemos prescindir cronológicamente de la acción anterior, eliminar el sentido temporal de su pasa-

---

(5) *La Colmena,* 3.ª ed. Barcelona-México. Editorial Noguer, 1957, p. 27. En lo sucesivo, la sola mención de la página se referirá a esta edición de *La Colmena.*

da vida, y la narración seguirá su curso normal. El mismo Cela, por boca de Pascual, el narrador, confiesa: «Usted sabrá disculpar el poco orden que llevo en el relato, que por eso de seguir por la persona y no por el tiempo me hacen saltar del principio al fin y del fin a los principios... lo suelto como me sale y a las mientes me viene, sin pararme a construirlo como una novela...» (p. 65). Las interrupciones del relato, debidas principalmente a los procesos judiciales, son frecuentes sin que el hilo del relato se detenga, porque la vida sigue y la novela también. Lineal es *La familia de Pascual Duarte,* en el sentido de que en la trayectoria de su protagonista se centra toda la atención e interés de la acción, así como las intervenciones de los personajes subordinados, y en parte hay un límite, un fin a este movimiento lineal: la muerte de Pascual Duarte. En *La Colmena,* por el contrario, no existe un personaje central al que todas las acciones vayan dirigidas, ni un término temporal del proceso vital de cada uno de los protagonistas. El movimiento, más que lineal, es circular, repetido, sin fin, y sin finalidad, como sus vidas.

Veamos lo que el propio autor nos dice con referencia al uso del sistema temporal en *La Colmena.* En la introducción a *Mrs. Caldwell habla con su hijo* (6) nos da unas ideas sobre esta novela y la función del tiempo en ella: «... está escrita en lo que los gramáticos llaman presente histórico, que ya asomó, si bien tímidamente, en algún pasaje de mi obra anterior. *La Colmena* es una obra reloj, una novela hecha de múltiples ruedas y piececitas que se precisan las unas a las otras para que aquello marche». Trata de captar en su novela la realidad de las existencias de sus personajes, y esta realidad se da de una forma simultánea; el problema surge al tratar de dar el conjunto de las acciones de los personajes sin perder de vista la individualidad. Para conservar la totalidad, de una forma simultánea, y a la vez, conservar la unión de las acciones

---

(6) CAMILO JOSÉ CELA. Prólogo a *Mrs. Caldwell habla con su hijo.* Barcelona. Ediciones Destino, 1953.

de todos los personajes, tiene Cela que economizar las apariciones y los actos de éstos. Al retratar los hechos que acaecen en el tiempo hay que intentar captar lo sincrónico de su acaecer. El escritor, al procurar revelar el material, ha de darnos el conjunto de una forma simultánea sin romper la continuidad expositiva de cada personaje. La aparente interrupción de los diálogos, los cortes de la acción, no son sino el sistema de unión que le permite enlazar las acciones de los personajes. El procedimiento de párrafos breves que se interrumpen, donde los personajes «repentinamente» desaparecen para volver a aparecer más tarde, las conexiones de distintos planos por medio de antítesis, los contrastes violentos para unir lo interrumpido, los saltos temporales y espaciales, no son caprichosos, y la organización y coordinación del carácter separativo del tiempo revelan las dotes novelísticas de Cela.

Sistemas coordinativos de acciones y personajes.

Las acciones de los personajes de *La Colmena* se nos presentan en sucesivas y breves apariciones, y la transición de un personaje a otro o de una acción a otra, se realiza de una forma lógica y ordenada, mediante diferentes tipos de relaciones, de las cuales las más importantes son:

Temática.—De este tipo de relación tenemos un ejemplo en la página 199, donde leemos que Julio García, sereno, piensa durante su ronda lo feliz que es al tener asegurado el diario sustento. La acción salta entonces a Victorita, cuyo novio, por falta de alimentación, se halla tuberculoso en un hospital, y ella no puede ayudarlo por carecer de medios en absoluto. Existe, pues, entre los dos episodios una temática común: el problema económico. En la página 255 Victorita cree que la prostitución es preferible a tener que aguantar a su madre y sus problemas económicos. El siguiente relato trata de la criada de don Roque, que tiene que aguantar a su amo pequeños caprichos, como traerle el periódico y el tabaco antes de que se vaya a la cama. La «tolerancia» es el nexo entre estos dos últimos episodios.

Oposición.—El encadenamiento de los episodios se realiza también mediante ideas antitéticas. Celestino, el tabernero, sirve a su amigo y último cliente una ruin copeja de anís, mientras que el siguiente relato tiene como escenario un cabaret, donde Pablo bebe whiskey y su querida pipermint. La oposición la establecen los términos bar-cabaret, ruin copeja de anís-whiskey, pipermint (páginas 216-17). En otra ocasión Pirula, al finalizar un episodio amoroso con su querido, comenta que éste la tiene como una reina, pues la quiere y la respeta...; los puntos suspensivos sirven de enlace con el siguiente suceso que dice: «Victorita no quería tanto...». No pretende esta última vivir como una reina, sino comer y dar de comer a su novio (página 219). El tema es similar en ambos casos: el hambre y su solución mediante la prostitución; las diferentes situaciones —éxito de la primera y fracaso de la segunda— marcan el contraste. En otro lugar Celestino monologa en la cama sobre una utópica sociedad, y de pronto su discurso se interrumpe por una necesidad, y va a tomar un trago de sifón al retrete. Inmediatamente volvemos a Laurita y Pablo que están en un elegante cabaret, bebiendo whiskey. El contraste lo expresan las palabras discurso-retrete, retrete-cabaret, sifón-whiskey.

Mecánica.—Los recursos que unen las acciones pueden ser de tipo mecánico. Victorita al acostarse busca a tientas la pera de la luz y la apaga. La acción siguiente se inicia con don Roberto, que llama al timbre de la casa. Aparte de una relación antitética entre el silencio de la habitación de la joven y la llamada al timbre de don Roberto, existe una relación mecánica entre el movimiento de la mano que apaga la bombilla y la mano que llama al timbre (página 200). En otra ocasión alguien llama al sereno, y éste contesta con un «va»; el próximo suceso comienza con la expresión «al llegar», palabras que completan el movimiento iniciado y suspendido por el guardia (página 212).

La fragmentación de la acción y el monólogo por medio de planos superpuestos, de yuxtaposición de escenas —como hemos visto en los ejemplos anteriormente citados— es un recurso típico de la técnica cinematográfica.

Temporal.—En la página 233 doña María, una señora cotilla que vigila desde su ventana, dice a su marido que es hora de acostarse porque «son ya cerca de las doce»; el siguiente episodio entre doña María y su esposo comienza con este diálogo: «—¿Nos vamos a acostar?», y la respuesta «—Sí, será lo mejor». El enlace a través de una relación temporal se ve también en la página 72 cuando Cela, hablando de Seoane, el músico del café, dice: «lo que quiere es que pase el día corriendo, lo más aprisa posible, y a otra cosa». El paso a la siguiente acción se efectúa con esta expresión: «Suenan las nueve y media en el viejo reló...».

Polarización.—Hay personajes, actitudes y temas que sirven para polarizar la acción. La atención se concentra en un personaje quien centraliza el actuar de los otros. El guardia Julio García, paseando, recuerda a su amigo Celestino, el nietzschiano dueño del bar, que en este momento guarda su último libro. El guardia sirve de foco de atención a otros personajes, como la señora Sierra, la cual observa detenidamente sus paseos comentándolos con su esposo, sin que éste le haga el menor caso. Al guardia se le une otro amigo y ambos charlan de cosas intrascendentales; la «cámara» va de nuevo a la señora que mira a través de la ventana y luego a los serenos.

El tema es, a veces, el motivo donde convergen todas las acciones e ideas de los personajes, como ocurre al principio del capítulo IV. Julio García se preocupa de su sustento y también lo hacen todos los seres que se nos presentan a continuación de éste: Victorita, la cual trata de pensar en algo para sacar a su novio de apuro; don Roberto que ha recibido una gratificación que resolverá algunos de sus problemas; Ramona Bragado, una alcahueta que por codicia trata de explotar a Victorita vendiendo su cuerpo. Es, pues, el tema económico al que concurren todos los pensamientos de los protagonistas.

En el mismo capítulo IV encontramos otro tema que polariza las acciones de todos: la noche. Las penalidades, el vicio, sitios públicos, etc., se nos ponen al descubierto durante este lapso temporal.

Irónica.—Usa Cela la ironía para relacionar acciones. En la página 206, al describirnos el ambiente nocturno de Madrid, dice que los clientes de los cines de barrio tienen que esperar para ver películas como *Sospecha* y *Si no amaneciera*. De «repente» volvemos a Julio García, el sereno, y la ironía es evidente, ya que largo sería el trabajo de éste «si no amaneciera». Y en la página 326 el nexo irónico se establece entre dos ambientes muy diferentes y dos nombres muy similares. Martín recita a Pura versos del poeta Juan Ramón, y termina con: «Otro día te diré el resto». La siguiente acción se centra en el señor Ramón, que de poeta tiene poco ya que: «El señor Ramón es hombre fuerte y duro, hombre que come de recio, que bebe sus copas, que pellizca en las nalgas a las criadas de servir». En este tipo de asociación de dispares jamás hay armonía.

Irracional.—A veces las cosas que se relacionan no tienen fundamento lógico. Las correspondencias dependen de las reacciones de tipo afectivo que se producen al poner en contacto dos pensamientos disasociados cuando sólo uno de ellos se apoya en la realidad. Hablando de las penalidades del gitano se nos dice que se prolongan durante las cuatro estaciones: primavera, otoño, verano e invierno, y el siguiente párrafo se inicia con: «Las cuatro castañas se acabaron pronto» [a Martín, otro ambriento a quien el hambre no da ningún descanso durante el año] (páginas 91-92). La relación numeral (cuatro) y temática (hambre) se refuerza con la correspondencia —más afectiva que lógica— entre estaciones y castañas.

La técnica de lo simultáneo.

La afinidad temática entre los distintos episodios y caracteres agrupa y coordina las acciones, evitando una desarticulación de la estructura de la novela. El behaviorismo (7) o método objetivo, permite la entrada de multitud de personajes, que se nos dan a conocer con sus actos de una manera simultánea. Este sistema permite, por ejemplo, la entrada de veinticinco personajes en el capítulo primero que consta de 58 páginas. A veces, se refieren hechos de tres distintos personajes en una misma página, como en la 151, donde se introducen mediante el punto y aparte a Elvira, Padilla y Alfonsito. Lo que se pretende, y consigue, es que el lector sentado en una silla del café de doña Rosa, pueda oír un diálogo en una mesa, y repentinamente, sea atraído por la conversación de otra de las mesas; pasa a una tercera y así sucesivamente, hasta alcanzar cierto número de conversaciones. Al llegar a este punto, cuando ha agotado todas las mesas o conversaciones, vuelve al primer diálogo, sin que el tiempo que ha transcurrido entre el momento que lo dejó interrumpido y la vuelta a este momento haya roto la ilación de cada una de las conversaciones.

Al concepto de hombre unitario Cela sustituye el concepto de hombre múltiple, de un hombre que realiza su multiplicidad simultáneamente, y no como consecuencia de diversos estados psicológicos. Tratemos de aclarar esto. La mayoría de los personajes de *La Colmena* no revelan en sus reacciones cambios que alteren el curso normal, cotidiano y vulgar de sus vidas. Sabemos lo que les va a ocurrir: nada. El desarrollo del proceso vital de cada uno de ellos no ofrece cambios dignos de tenerse en cuenta. Se trata de sincronizar los distintos momentos de la vida de cada personaje —de los cuales vemos uno repetido— y presentarlos simultáneamente con los de otras personas. Multiplicidad, número, se opone a complejidad. Si se presentara cualquier esquema de los capítulos de esta novela se podría apreciar que cada personaje y sus acciones

---

(7) «*La Colmena* es un modelo, un specimen casi puro, 'químicamente puro' de novela científica... *La Colmena* es behaviorista. Los personajes se nos aparecen como sujetos que reaccionan ante el estímulo de su contorno...» GUSTAVO BUENO MARTÍNEZ. «*La Colmena*, novela behaviorista». *Clavileño*, núm. 17, 1952, pp. 53-58.

son interrumpidos y completados por otro, que, a su vez, es interpolado por otro, y éste último, a su vez, es afectado por la aparición rápida de actores secundarios, que duran poco en escena, por lo accesorio de su papel. Los personajes se nos dan en pequeños trozos, en diversas facetas, como la vida, que se realiza en continua «discontinuidad». Si enlazamos los distintos momentos, las diferentes vivencias del personaje Elvirita, nos encontramos con algo vulgar, anodino y repetido; las diez apariciones de la joven no aportan ningún dato nuevo sobre su vida y hechos. Lo importante —novelísticamente— radica en la forma en que se efectúan las apariciones y desapariciones.

El mundo se hace y se destruye a cada pulsación temporal, y Cela trata de captar esta sucesión de presentes donde el hombre se halla inmerso. En el análisis que el novelista trata de hacer de lo real, es el presente lo que cuenta.

EL HUMOR DE CELA EN «LA COLMENA»

Hay un aspecto en toda la obra de Cela olvidado casi por completo por la crítica, y que nos descubre una de las facetas más originales del arte del novelista: el humorismo. La dificultad para precisar este concepto —cuyo contenido, lo humano, es imposible de delimitar— es de todos conocida. Repetidas veces se ha dicho que la sola intención de definir el humorismo era de por sí un rasgo de humor. Uno de los más profundos estudios que del humorismo se hayan hecho en España se lo debemos a Celestino F. de la Vega, y de tan debatido tema nos dice que es «un esfuerzo para comprender, para responder con sentido a las situaciones conflictivas, que tienen por límites la tragedia y la comedia» (1).

En *La Colmena* (2), como en toda la obra de Cela con la única excepción de su libro de poemas *Pisando la dudosa luz del día,* brota el humor con múltiples y diferentes matices e implicaciones. Ateniéndonos al juicio de Vega se puede afirmar que *La Colmena* es una obra de humor, o al menos presenta muchos elementos humorísticos. Se puede hablar de conflicto en esta novela si por tal entendemos la actitud de angustia del escritor ante la imposibilidad para transformar la realidad

---

(1) «... un esforzo por comprender, por responder con senso a situaciós conflitivas, que ten por límites traxedia e comicidade». CELESTINO F. DE LA VEGA. *O Segredo do Humor*. Vigo. Ed. Galaxia, 1963, p. 134.

(2) Todas las citas que en el futuro se hagan sobre esta novela, indicando el número de la página, se referirán a *La Colmena*, 3.ª ed. Barcelona-México. Ed. Noguer, 1957.

que moralmente le repugna. Existe también una inadaptación del escritor a su medio —España de posguerra, 1942—, así como una repulsa de la inversión de valores económicos, sociales y morales. Ante esta situación existe por parte del escritor una comprensión —nunca racionalización filosófica— ante la situación y los motivos que provocaron la anarquía moral que nos describe en su obra.

El humor —y esta es una de sus principales características— huye del doctrinismo o dogmatismo; no ofrece soluciones, porque sabe que no existen. Presenta los distintos ángulos del problema vacilando, como dice Vega, unas veces hacia la tragedia y otras hacia la comedia sin inclinarse por ninguna de las dos alternativas.

En el humorista existe una gran dosis de sentimiento subjetivo. El lector recibe su visión personal, temperamental del mundo. Humor viene del latín *umor* («líquido», «humores del cuerpo»), y, aparte de la consideración fisiológica hay en esta palabra una seudoetimología que introduce la hache haciéndola derivar de *humus* («tierra»). Esta recordación lingüística nos sirve para explicar la tendencia a atribuir a ciertos tipos y a ciertas regiones unas condiciones naturales para el cultivo de este género. No creemos que exista una exclusividad racial en la manifestación humorística (3), aunque resulte evidente la superioridad cualitativa y cuantitativa de los humoristas gallegos, entre los que pueden destacarse: Castelao, Valle-Inclán, Julio Camba, Cunqueiro, Fernández Flórez, Cela.

Antes de entrar en el estudio de *La Colmena* consideramos necesario observar que cualquier interpretación que del humor se haga ha de tener presente dos cosas: *a*) el humor está en función de los supuestos históricos de la época en que el autor escribe; *b*) al crítico le será muy difícil explicar y valorar la

_____

(3) Al respecto opina Pío Baroja: «Yo creo que el humorismo no es privativo de ninguna raza; es más bien una característica individual que se da entre gentes de sensibilidad aguzada y en medios de cultura avanzada». *La caverna del humorismo*. Madrid. Biblioteca Nueva, 1948, p. 241.

carga subjetiva, emocional que el escritor imprime a su obra.

El humor de Cela en *La Colmena* ofrece gran variedad temática e interpretaciones diversas. Destacamos a continuación lo más representativo de ambos puntos.

Social.

Cela nos pinta en *La Colmena* el dislocamiento de las estructuras sociales de la España de la posguerra. El novelista, desde el plano del humor, denuncia el estado social de su época sin formular receta para los males que expone. Veamos, por ejemplo, cómo se ponen en contacto dos clases sociales representativas del momento histórico español: «El limpia habla con don Leonardo. Don Leonardo le está diciendo:

—Nosotros los Meléndez, añoso tronco emparentado con las más rancias familias castellanas, hemos sido otrora dueños de vidas y haciendas. Hoy, ya lo ve usted, ¡casi en medio de la *rue!*

El limpia siente admiración por don Leonardo. El que don Leonardo le haya robado sus ahorros es, por lo visto, algo que le llena de pasmo y de lealtad» (pp. 40-41). La crítica, dentro del tono humorístico del pasaje, ataca la ruindad de carácter, así como la vana y pretenciosa ínfula social de alguien que actualmente necesita de la ayuda del limpiabotas. De igual forma se censura la actitud humillante del limpia ante el «gran señor».

La novela está llena de gestos, ademanes, actitudes que encierran una falsa dignidad social y económica. Irónicamente se nos describe la afectación de una señora venida a menos en las páginas 20-21: «La madre de Paco se llama Isabel, doña Isabel Montes, viuda de Sanz. Es una señora aún de cierto buen ver, que lleva una capita algo raída. Tiene aire de ser de buena familia... Doña Isabel sonríe y no contesta nunca... Lo más frecuente, sin embargo, es que no diga nunca nada: un gesto con la mano al despedirse y en paz. Doña Isabel sabe que ella es de otra clase, de otra manera de ser distinta, por lo menos». La hipocresía social española es un símbolo del tiempo y, al margen de las determinaciones histórico-sociales que cada época presenta, forma una constante temática en las letras españolas, una de cuyas muestras más originales se encuentra en la picaresca.

El ejemplo siguiente representa un caso extremo de ridículo orgullo. Dialogan un intelectual vago y hambriento y una antigua compañera de facultad que en la actualidad se gana la vida como amante: «—Perdona, Nati. Es ya tarde, me tengo que marchar, pero el caso es que no tengo un duro para invitarte. ¿Me dejas un duro para invitarte?

Nati revolvió en su bolso y, por debajo de la mesa, buscó la mano de Martín.

—Toma, van diez; con las vueltas hazme un regalo» (p. 193). La cómica estimación propia es recíproca. Ella no se limita a darle dinero para que él invite, sino que le da en exceso para que con lo sobrante pueda hacerle un regalo y de esta manera salvar su «orgullo».

El humor se mezcla a veces con la crueldad para censurar la insensibilidad e impiedad de ciertos seres. Doña Asunción, contertulia de una lechería (en realidad una casa de citas), está de enhorabuena, porque la mujer del querido de su hija ha muerto. Véase cómo de una forma humorística el autor ataca la crueldad humana. Doña Asunción da a su amiga Ramona una carta que ha recibido de su hija para que se la lea. «Doña Ramona se caló los lentes y leyó:

—«La esposa de mi novio ha fallecido de unas anemias perniciosas». ¡Caray, doña Asunción, así ya se puede!

—Siga, siga.

—Y mi novio dice que ya no usemos nada y que si quedo en estado pues él se casa. ¡Pero hija, si es usted la mujer de la suerte!

—Sí, gracias a Dios tengo bastante suerte con mi hija.

—¿Y el novio es el catedrático?

—Sí, don José María de Samas, catedrático de Psicología, Lógica y Etica» (p. 140).

Ironía.

Con la ironía se establece un diálogo con el lector para expresar el desacuerdo entre lo que es y lo que debería ser, condenando la necedad de los culpables. Esta postura del novelista, a veces, provoca una actitud de desprecio, burla y superioridad hacia sus personajes que no excluye en modo alguno la compasión, condición necesaria para el verdadero humor (4).

La hipocresía de la explotadora y tiránica dueña del café, doña Rosa, nos la descubre ella misma: «...—Aquí estamos para ayudarnos unos a otros; lo que pasa es que no se puede porque no queremos. Esa es la vida» (p. 62). De alguien que se aprovecha del hambre y vicio ajenos leemos: «Doña Celia, negocio aparte, es una mujer que coge cariño a las gentes en cuanto las conoce; doña Celia es muy sentimental, es una dueña de casa de citas muy sentimental» (p. 190).

Muchos ejemplos podrían enumerarse dentro de esta categoría del humor en los que Cela nos muestra —como hemos visto en los dos casos arriba mencionados— la insolidaridad, falta de relaciones a nivel espiritual, inautenticidad de sentimientos.

Escatológico.

Aparece esta clase de humor en *La Colmena* con implicaciones sociales y éticas. Una muestra de este humor la encontramos en las páginas 82-83. La escena representa a un pobre desgraciado que queda encandilado ante un escaparate lleno de lavabos de todos colores. La crítica se centra en la desproporción económica del país que permite la coexistencia de los que necesitan de riquísimos espacios para sus deposiciones y

---

(4) «Sourire en dehors, pleurer en dedans, créer un personnage comique, mais pas assez pour étoufler toute compassion, c'est là, à mon avis, la perfection humoristique». ROMEU, R., «Les divers aspects de l'humour dans le roman espagnol moderne». *Bulletin Hispanique*, t. XLIX, 1947, p. 71.

aquellos que hacen poco uso de tales sitios, ya que poco tienen para comer.

El humor escatológico busca a veces la ridiculización de ciertas actitudes humanas, como por ejemplo en la página 123, donde el autor se burla de la pomposidad inútil del señor que a solas ensaya un farragoso discuso y cree que va a ser interrumpido por los aplausos del público. La suspensión del discurso se deberá, sin embargo, a los gritos de la vecina que pregunta si su niño ha hecho caquita.

Obsceno.

Se censura en esta forma de humor la concomitancia en que aparecen lo espiritual y lo pornográfico en determinadas situaciones y tipos. De la puesta en contacto de estos dos extremos resulta la condenación de ambos, como puede verse en los siguientes ejemplos. Mientras doña Visitación, señora muy beata, habla con sus amigas de los últimos milagros, don Roque, el marido, hace juegos de cartas: —«Si sale sota de bastos antes de cinco, buena señal. Si sale el as, es demasiado; yo ya no soy ningún mozo...

La sota de bastos salió en tercer lugar.

—¡Pobre Lola, lo que te espera! ¡Te compadezco, chica! En fin...» (pp. 154-155). Análoga situación, aunque mucho más humorística, encontramos en la página 272: «El difunto marido de doña Juana, don Gonzalo Sisemón, había acabado sus días en un prostíbulo de tercera clase, una tarde que le falló el corazón. Sus amigos lo tuvieron que traer en un taxi, por la noche, para evitar complicaciones. A doña Juana le dijeron que se había muerto en la cola de Jesús de Medinaceli, y doña Juana se lo creyó. El cadáver de don Gonzalo venía sin tirantes, pero doña Juana no cayó en el detalle.

—¡Pobre Gonzalo! —decía—, ¡pobre Gonzalo! ¡Lo único que me reconforta es pensar que se ha ido derechito al cielo, que a estas horas estará mucho mejor que nosotros!...».

Este pendular entre dos puntos extremos —como hemos

visto en el humor escatológico y obsceno— constituye un ejemplo típico, aunque a un nivel inferior, del oscilamiento que experimenta la literatura española al pasar bruscamente de lo místico a lo picaresco. La exaltación y caricaturización de la realidad acentúa lo que se quiere censurar. Esta técnica tiene claros antecedentes en las letras españolas: *Celestina, Coplas de ¡Ay, panadera!, Corbacho,* Cervantes, Quevedo, Solana, Valle-Inclán.

Lo crudo y aparentemente inhumano se mezcla con rasgos humorísticos. A veces esto se lleva a cabo adentrándose en detalles nimios: «... se le murió un hijo aún no hace un mes. El joven se llamaba Paco y estaba preparándose para Correos... Duró poco y además perdió el sentido en seguida. Se sabía ya todos los pueblos de León, Castilla la Vieja, la Nueva y parte de Valencia (Castellón y la mitad, sobre poco más o menos, de Alicante); fue una pena grande que se muriese...» (p. 20). En otras ocasiones el humor es puramente cómico; se pretende hacer reír al lector con dosis de humor violento. Por ejemplo: «Al guardia Julio García Morroso (herido en el costado en combate) se le mejoró algo la salud... no volvió a lo que había sido, pero tampoco se quejaba; otros al lado suyo se habían tumbado en el campo panza arriba. Su primo Santiaguiño que le dieron un tiro en el macuto donde llevaba las bombas y del que el pedazo más grande que se encontró no llegaba a cuatro dedos» (p. 198).

El humor cómico afecta a todos los nombres gentilicios y motes de casi todos los personajes de la novela.

Hemos estudiado las principales clases de humor y sus distintas implicaciones en *La Colmena.* Existen también elementos formales innovadores usados por el autor para poner de manifiesto la tensión entre tragedia y comedia. Entre los más característicos señalaremos los siguientes: comparación, enlaces de cuadros, detalle, digresión, modismos, refranes y signos ortográficos.

Cela no ha pretendido, en su retrato de la sociedad española de su tiempo, producir un efecto divertido o tremendista

(5). Tiene conciencia de lo absurdo y vacío del mundo y del hombre que no tiene nada que justificar y cuyo drama es la carencia de trascendencia. Busca la comunicación espiritual con el lector para explorar el absurdo mundo de estos seres carentes de todo móvil espiritual. El objetivo primordial de Cela es la crisis de la condición humana; este humanismo puede ser manifestado a través de varias formas, una de ellas es el humorismo.

---

(5) «Escuece darse cuenta que las gentes siguen pensando que la literatura, como el violín, por ejemplo, es un entretenimiento que, bien mirado, no hace daño a nadie. Y esta es una de las quiebras de la literatura». Nota a la segunda edición de *La Colmena*.

TIEMPO Y ESTRUCTURA EN «EL JARAMA»

Para interpretar justamente el valor literario de *El Jarama* (1), de Sánchez Ferlosio, hay que conocer y analizar las formas temporales, uno de los más característicos recursos estilísticos usados por el autor de esta novela.

La temporalidad en *El Jarama* es el elemento que envuelve y aprisiona a todos los personajes que aparecen durante las dieciséis horas y cinco minutos —8,45-12,50— del domingo en que transcurre la acción de la novela. La preocupación por el carácter temporal de la existencia la manifiesta el escritor en la cita de Leonardo de Vinci con que encabeza la novela: «El agua que tocamos en los ríos es la postrera de las que se fueron y la primera de las que vendrán: así el día presente», eco de la doctrina de Heráclito del «todo corre, todo fluye»; el río permanece, pero el agua nunca es la misma. La corriente del río tiene dos notas: *a*) eternidad e inmutabilidad de su curso, *b*) transitoriedad; las dos se dan en *El Jarama*. El eterno fluir se ejemplifica en la forma en que se inicia y concluye el libro: la monótona descripción del río Jarama a través del suelo español; el segundo aspecto —la mutabilidad, el paso de la corriente— se refleja en el continuo cambio de personajes que se verifica cada domingo a orillas del río. Con el río aparece en *El Jarama* otro símbolo clásico de la temporalidad: el tren. Existe entre estos dos motivos temporales una diferencia fun-

_____

(1) RAFAEL SÁNCHEZ FERLOSIO. *El Jarama*. 6.ª ed. Barcelona. Ed. Destino, 1965. La simple mención de la página en una cita se referirá a esta edición.

damental: el tren vuelve, es un tiempo que se puede recrear, el río no (2).

El tiempo existencial es irreductible a la lógica; por tanto, el orden —o aquello que entendemos por tal— no aparece en la novela. El tiempo es irreversible, tiene una dirección; cada momento, cada personaje, cada diálogo es una creación, un instante. La realidad de la vida es para Sánchez Ferlosio, como lo es para Bergson, un «élan vital». El tiempo no puede medirse, no puede espacializarse, porque es vida, y la razón no puede captarlo porque lo destruiría. El novelista trata, sin embargo, de captar la sucesión de los presentes donde sus personajes se hallan inmersos. En el análisis que trata de hacer de lo real es el presente lo que cuenta. Pasado, presente y futuro se dan al mismo tiempo en el presente —todo es uno y lo mismo—; los personajes no van ni al pasado ni al futuro; la realidad del tiempo, de sus vidas, es el presente. Lo anodino del vivir de los seres que aparecen en *El Jarama* es una constante en sus existencias, y el novelista, al descubrirnos la monotonía y vulgaridad de su presente, nos está dando al mismo tiempo las de su pasado y futuro.

Existe una dimensión temporal en *El Jarama* de origen social exponente de la crisis de la sociedad (en su estadio de clase media baja como *La Colmena* lo es, por ejemplo, en un nivel social inferior), en la que el grupo —representado en esta novela por el mundo de los jóvenes empleadillos— aparece como protagonista. *El Jarama* es —como dice Goldmann refiriéndose a la novela en general— la crítica interna del grupo social en que dicha obra nace. Existe en Sánchez Ferlosio una preocupación, un juicio reprobatorio contra la sociedad y las circunstancias que dieron lugar a la crisis espiritual, contra la incapacidad de la juventud que nos retrata para «realizar» valor alguno. El denominador común de todos los personajes de este relato es la carencia de vida anímica, trascendente. Un

_____

(2) Sobre el simbolismo en *El Jarama* véase el estudio de J. SCHRAIBMAN y W. T. LITTLE, «La estructura simbólica de *El Jarama*». *Philological Quarterly*, vol. 51, núm. 1, enero, 1972, pp. 329-342.

inmenso vacío llena sus vidas, y ellos tratan de llenarlo con la vulgaridad de su proceder, vulgaridad que encierra, como bien lo ha demostrado E. C. Riley, un importantísimo elemento poético (3).

En *El Jarama* no existe personaje central al que todas las acciones vayan dirigidas, ni un término temporal del proceso vital de cada uno de los protagonistas. El movimiento es circular, repetido, sin fin y sin finalidad, como sus vidas. Trata de captar, el autor, la realidad de la existencia de los personajes, y esta realidad, vida, es un constante fluir; de aquí la falta de capítulos que, en cierta manera, obstaculizarían las acciones.

Los personajes en *El Jarama* se nos presentan en sucesivas y breves apariciones, y la transición de uno a otro o de un incidente a otro se realiza de una forma lógica y ordenada, mediante diferentes tipos de relaciones, de las cuales las más importantes son:

Mecánica.

Los recursos que eslabonan las distintas acciones pueden ser de tipo mecánico. El enlace de episodios mediante la repetición de verbos de movimiento es frecuente en la novela: «el Balilla (tipo de automóvil) subía de nuevo hacia San Fernando» (p. 354), y en la página siguiente pasamos a una escena donde unos excursionistas «Subían hacia la venta»; el nexo se establece, a veces, entre un artefacto y un fenómeno de la naturaleza, como en la página 198, donde hablando de coches se dice que «son muy bajitos para montar», y el cuadro siguiente se inicia con «Bajaba el sol...». La repetición —como sistema unitivo— no ocurre siempre al principio de uno de los pasajes que se relacionan; en la página 120 la escena se termina con la siguiente frase: «es que —se cortó con firme-

---

(3) «Sobre el arte de Sánchez Ferlosio: Aspectos de *El Jarama*», *De Filología,* año IX, 1963, pp. 201-221.

za—. Vamos», y la siguiente se inicia, «Aquí ya no hacemos nada. Vamos». El eslabonamiento puede hacerse con verbos de movimiento que expresen ideas análogas. Al referirse (p. 239) a unos chicos que fuman kif en pipa se dice que «Saltó la pelotita de ceniza», y el posterior incidente empieza con «ya salían los Ocaña».

El paso de una escena a otra puede efectuarse por contraposición. En la página 10, al terminar una descripción, se lee: «el cielo impávido, como de acero de coraza, sin una sola perturbación», y la siguiente acción —referida a algo completamente distinto— se empieza con «Aquel hombrón cubría toda la puerta con sus hombros». A la oposición que encierran las ideas contenidas en ambas frases —claridad en la primera e impedimento en la segunda— hay que unir la analogía entre los términos acero-hombrón y coraza-hombros. El enlace dinámico afecta, a veces, a distintas partes del cuerpo. En la página 145 se finaliza un pasaje en el momento en que uno de los individuos que juegan a la rana —deporte que consiste en introducir a cierta distancia unos tejos en la boca de una gran rana de metal— alarga el brazo para efectuar la acción descrita, y este movimiento sirve de unión con el episodio siguiente en que se nos presenta un nuevo personaje: «—Buenas taardes —había dicho, alargando la A» (p. 145); la boca, al emitir el sonido de la *a* alargada, se asemeja a la rana con la boca abierta, y el movimiento de extensión del brazo también se relaciona con el prolongamiento de la *a*.

Temática.

De este tipo de encadenamiento podemos ver un ejemplo en la página 231, donde de una bañista algo bebida se nos dice: «Se calló y continuaba llorando boca abajo con la cara oculta. Tito no dijo nada; tenía una mano en el hombro de ella», y el salto a la próxima acción se efectúa con «—¿Vacilar?, pues es una palabreja de allí de Marruecos. Como si dijéramos quedarse uno..., no es borracho, no...»; el mareo producido por el alcohol —en el primer caso—, y por el kif en el segundo, es el tema de la unión. En otra ocasión un joven, al pasar una botella de vino, dice: «—Toma, aprensivo; que no estoy T. P.» (tuberculoso perdido), y en la escena siguiente el novelista nos lleva a un merendero donde uno de los clientes dice: «—Los beneficios del campo —dijo Ocaña—, ahí lo tienes. Del gallinero a la sartén» (p. 135); la analogía temática está entre la enfermedad —tuberculosis— y la forma de curarla: el campo.

Un motivo irónico sirve para poner en comunicación los episodios siguientes. Un cliente de un merendero, al enterarse que se ha ahogado un excursionista en el río, dice: «... esta noche, ya no puedo cenar, mire por cuanto —concluía el hombre de los z. b.—. Se fastidió la cena»; y el siguiente pasaje empieza así: «Descubrió al juez entre los que bailaban...», acción que se refiere al hombre que busca al juez —el cual se halla en ese momento en una sala de fiestas a punto de cenar— para que levante acta de la muerte de la ahogada. Al juez, como al individuo del merendero de la escena anterior, se le ha fastidiado la cena. La trabazón temática se establece en el ejemplo siguiente de una forma indirecta. Una pareja de enamorados mantienen el siguiente diálogo: «Lo que a ti te hace falta es un novio que te meta en cintura. —¿En cintura? —dijo Mely—. ¡Mira qué rico! O yo a él». El cuadro siguiente comienza con algo aparentemente distinto: la descripción de una estación de tren, del cual va a apearse otro novio a quien posteriormente su novia —hija del dueño del merendero— va a meter en cintura. El pronombre él —con el que se encierra la primera relación— sirve de enlace también con el siguiente episodio, el cual se refiere a otro personaje masculino, otro novio.

Sensitiva.

El enlace entre distintos pasajes puede verificarse mediante la alusión a los sentidos. Una asociación auditiva sirve para trabar dos acciones mediante el sonido producido por los clientes de un merendero («Los otros se reían») y los excursionistas del río («Sonaban zambullidas»), página 60; al efecto auditivo puede unirse el nexo antitético, como en la página 273, donde una de las personas que busca el cuerpo de la ahogada, anteriormente mencionada, dice: «¡Aquí!, ¡Aquí!, gritó una voz junto a la presa. "¡Aquí está!" Había sentido el cuerpo, topándolo con el brazo, casi a flor de agua», y al pasar al episodio siguiente, en un merendero, leemos que «La voz opaca y solitaria de Miguel cantaba junto al muro de la casa, hacia el jardín vacío. Relucieron los ojos del gato en la enramada. Miguel extendía las manos abiertas hacia todas las caras y mecía levemente la cabeza, "... y como tú no volvías el sendero se borró..."». La voz del que está gritando pidiendo socorro se relaciona con la del cantor, éste con voz solitaria —como la de la nadadora— se refiere en su melodía a alguien que tampoco va a volver.

El vínculo visual se establece de una forma indirecta en el siguiente ejemplo. En el río de uno de los bañistas se dice que: «Veía Daniel a una mujer, en la orilla, las faldas remangadas por mitad de los muslos, enjabonando a un niño desnudo. Se iba desbaratando el ancho brazo de humo que el tren había dejado sobre el río», y para trasladarnos al merendero, donde se sitúa la siguiente acción, se nos dice que «Entraban dos; uno vestido de alguacil y el otro, un tipo fuerte, en mangas de camisa, los sobacos teñidos de sudor», página 45. El lector establece una asociación visual entre «faldas remangadas» y «en mangas de camisa», así como entre «enjabonando a un niño desnudo» y «los sobacos teñidos de sudor».

Gramatical.

Abundan en *El Jarama* los eslabonamientos mediante la conjunción copulativa «y» puesta al comienzo de un pasaje completamente distinto del anterior. La unión la pueden efectuar otras partes de la oración; en la página 149 se concluye un

54

episodio en el merendero cuando uno de los parroquianos dice:
—«Pues más a mi favor, entonces», y la siguiente acción, referida a un grupo de muchachos se inicia con, «Caminaban aguas abajo...»; en este caso son el adverbio temporal «entonces» y el verbo de movimiento «caminaban» los que marcan la unión entre los dos incidentes. Etimológicamente se relacionan dos pasajes en la página 271; al terminarse el primero un cliente del merendero dice: «¡que me devuelvan lo bailado!», y el próximo se refiere a unos excursionistas, los cuales antes de meterse en el agua «se miraban en torno circunspectos...»; la asociación analógica se establece entre «bailado» y «en torno circunspectos».

Las distintas escenas no se encadenan siempre de una forma sucesiva —como hasta aquí hemos visto—, sino que en distintas partes de la narración la secuencia de una acción queda cortada para ser continuada después de haber introducido diferentes situaciones y personajes. La interrupción de la acción determina una serie de enlaces que sirven para mantener la continuidad de lo temporalmente suspendido. La suspensión de una descripción se hace mediante puntos suspensivos al principio de la novela donde la definición del río Jarama queda incompleta para ser concluida en la última página del libro; el ciclo de la novela y de las vidas de los personajes se abre y se cierra con el monótono y reiterado fluir del río. La repetición de las vidas de los seres que se nos han presentado durante el paréntesis de la narración del río ha de realizarse muchos domingos; como las aguas del río, los chicos y chicas han de volver a sus orillas, y así como el agua del río es siempre distinta, también lo es la gente que cada domingo se baña en sus aguas. La vulgaridad repetitiva no sólo afecta al vivir de los chicos madrileños del río, sino que también se refiere al mundo rutinario del ventorrillo, simbolizado por un habitual, Lucio, personaje que inicia la acción de la novela con la significativa pregunta: —«¿Me dejas que descorra la cortina?», y la cierra en la última página con «Adiós».

En la página 224 el diálogo queda interrumpido cuando

una chica, al recibir la aclaración de que al fumar kif se vacila, dice: «¿Y eso qué es?». La cuestión se queda sin inmediata respuesta, manteniendo en suspenso el ánimo del lector, y después de una descripción y dos escenas con personajes distintos, vuelve el novelista a la pregunta en la página 231, pero en vez de dar la contestación —temiendo que el lector haya olvidado de qué se trataba— se vuelve a la interrogación repitiendo la palabra clave de ésta: «¿Vacilar?, pues es una palabreja...».

Sánchez Ferlosio quiere darnos la ilusión de simultaneidad a pesar del carácter consecutivo del lenguaje. La sucesión lineal del idioma hablado no puede expresar la simultaneidad, y de aquí las frecuentes interrupciones de la acción que tienen como fin la introducción de diferentes incidentes y personajes sin que se pierda el sentido consecutivo del relato.

A veces, distintas situaciones se suceden rápidamente produciendo un efecto sincrónico que en forma alguna afecta a la claridad expositiva de los hechos. En la página 216, en el jardín de un merendero, un niño, con mucha vergüenza, se está desnudando detrás de unas sillas: «No se movía de la penumbra, detrás de las sillas; estaba llorando», y saltamos al siguiente incidente, en un camino próximo, con «Ahora en la carretera había un mendigo, junto al paso a nivel. Al aire los muñones de los muslos, sobre las grandes hojas de periódico extendido. El cielo estaba amarillo verdoso por detrás de la fábrica de San Fernando de Henares». El paso de una escena a otra se ha efectuado mediante el adverbio temporal «ahora» y la forma verbal durativa, progresiva «estaba llorando»; otro nexo es establecido entre la inmovilidad del niño que «no se movía» y el mendigo que tampoco puede hacerlo por imposibilidad física. El niño llorando se puede relacionar temáticamente con la imploración del mendigo; también hay cierta afinidad entre la vergüenza del niño en mostrar sus partes y la necesidad del tullido en la exposición de los miembros cortados para inspirar compasión. En el siguiente episodio pasamos a las dependencias de la casa del merendero donde «Faustina limpiaba lentejas sobre el hule, bajo la luz de la ventana. Le llegaban las voces del jardín». Existe una analogía temporal entre estas escenas y las dos anteriores: la falta de luz; «sobre el hule» puede asociarse con el periódico extendido del mendigo; lenteja se relaciona también con pobreza. El episodio siguiente nos pone en comunicación con una pareja de excursionistas que vuelven a Madrid mediante el tema de la oscuridad: «Los ladrillos del puente se habían ensombrecido poco a poco y la raya del sol ya se alejaba por la otra ribera»; esta acción se concluye cuando un joven «Le metía los dedos entre el pelo» a su amiga; la cámara nos traslada en este momento al merendero donde uno de los parroquianos, el chófer, continúa su interrumpida conversación: «¡Mucho he corrido encima de esa marca...! ¡Mire usted: Santander, Valladolid, Medinalcampo, Palencia! —contaba con los dedos»; el nexo entre esta acción y la anterior es mecánico: el movimiento de los dedos. Esta conversación sobre coches, carreteras y kilómetros, en una palabra, movimiento, enlaza con la escena siguiente de dos formas: *a*) por contraposición, mediante la referencia al mendigo de las piernas amputadas, «Junto al paso a nivel el mendigo se sobaba los muñones, salmodiando a las gentes que subían del río hacia el coche de línea y la estación»; *b*) por analogía entre el tema de los coches de la primera escena y la gente que va a coger el coche de línea en la segunda. La acción pasa al merendero con la vuelta al tema central: lo avanzado del día: «Crecían las sombras entre las hojas de las madreselvas y la vid americana»; la misma idea, el oscurecer, nos lleva al jardín del merendero donde una señora se impacienta por la tardanza de su esposo: «Señor, ¿en qué estará pensando? ”Las horas que son ya”»; este episodio concluye con «Andaba el gato a los acechos por los rincones del jardín»; de nuevo pasamos al mendigo, el cual también, a cuatro patas, está al acecho de la caridad. Todas las escenas que acabamos de ver parece que se producen de una forma simultánea, efecto que Sánchez Ferlosio logra mediante la técnica cinematográfica basada principalmente en la fragmentación de acciones y diálogos por medio de planos superpuestos y yuxtaposición de escenas.

Hay en *El Jarama* una sensación de persecución y evasión constantes. Los personajes se nos dan en breves apariciones, en diversas facetas, como la vida, que se realiza en continua «discontinuidad». Si enlazamos los distintos momentos, las diferentes vivencias de cualquiera de los personajes, nos encontramos con algo vulgar, anodino y repetido. Los seres que aparecen en esta novela no revelan en sus reacciones cambios que alteren el curso normal, cotidiano y vulgar de sus vidas; sabemos lo que les va a ocurrir: nada (el ahogamiento de la chica al final es quizá, por su excepcionalidad, lo más superficial).

El mundo se hace y se destruye a cada pulsación temporal, y Sánchez Ferlosio trata de captar esta sucesión de presentes donde el hombre se halla inmerso. En el análisis que el novelista trata de hacer de lo real es el presente lo que cuenta.

Si se excluye el aspecto lingüístico de *El Jarama* la significación literaria de esta novela —sin interés argumental y con una acción espacial y temporalmente limitada— radica en la precisión arquitectónica que regula e integra tanto las intervenciones de los personajes como el enlace entre los distintos episodios.

RECURSOS ARTISTICOS DE SANCHEZ FERLOSIO
EN «ALFANHUI»

Alfanhuí (1) y *El Jarama,* las dos únicas obras del novelista Sánchez Ferlosio, sitúan a este autor (junto a Cela, Delibes, A. M. Matute y Martín-Santos) entre los mejores novelistas españoles aparecidos en España después de la guerra civil.

Estos dos títulos corresponden a trabajos de muy distinta concepción. Sin embargo, un análisis de los elementos que intervinieron en su creación nos descubriría una gran semejanza entre los componentes formales de ambos relatos; en *Alfanhuí* como juego literario de inspiración mágica y en *El Jarama* oculto (lo poético) bajo la superficie del «realismo objetivo» (2). La anécdota es mínima en ambos libros; en *Alfanhuí* ocurren muchas cosas en diversos lugares, pero todas insignificantes; en *El Jarama* toda la acción es vulgar y limitada tanto espacial como temporalmente. Formalmente, en *El Jarama* el movimiento circular en que se capta el constante fluir de los personajes hace innecesario el uso de capítulos o partes; en *Alfanhuí,* novela lineal, la acción se divide en jornadas o pasos al igual que la picaresca (de cuyo género participa entre otras cosas por

---

(1) Todas las citas que en el trabajo se hagan se referirán a: *Industrias y andanzas de Alfanhuí.* Barcelona. Ed. Destino, 1951.

(2) «... honda y austera poesía que ilumina casi imperceptiblemente, pero eficacísimamente, *El Jarama*», *La novela española contemporánea,* Eugenio G. de Nora, t. II, p. 304. «... poesía que Sánchez Ferlosio integra sin artificialidad en el realismo fáctico de su novela», «Sobre el arte de Sánchez Ferlosio: aspectos de *El Jarama*», Edward Riley, *De Filología,* año, IX, 1963, p. 221.

la movilidad y cambio de perspectiva del pequeño personaje, así como por la falta de descripción física del mismo).

La calidad literaria de *Alfanhuí* radica esencialmente en la calidad y variedad de los recursos artísticos usados por el autor. Este acertado empleo de una gran serie de medios expresivos en este libro ha llevado a algún crítico a calificarlo como un «ejercicio literario» (3).

Estudiaremos en *Alfanhuí* tres de los procedimientos más característicos del autor: eslabonamiento, imagen y color.

Eslabonamiento.

Los medios de enlace entre capítulos, acciones y personajes se llevan a cabo mediante diversas formas de relación. Las más representativas son: *a*) temporal; *b*) *local; c*) temática.

Dentro de la primera categoría el adverbio realiza la unión entre los capítulos II y III (segunda parte): «Oscurecía» (II), «Ya de noche» (III); igual función desempeña el adverbio temporal al relacionar el capítulo VII (primera parte), donde se nos cuenta que Alfanhuí, «se quedó dormido» y el IX, «Cuando despertó Alfanhuí». La continuidad asociativa no viene siempre expresada entre el inmediato final de una parte y el principio de la siguiente. En el capítulo V (tercera parte) la abuela le dice a su nieto que él buscará trabajo algún día y los dialogantes siguen hablando de otras cosas hasta el final del capítulo; el VI nos descubre que «Pronto le encontró la abuela empleo». A veces el verbo hace el cometido del adverbio temporal, como sucede en el VIII (segunda parte), donde después de una larga noche de incendio se nos traslada al capítulo siguiente, diciéndonos que «Amaneció por fin».

El contraste temporal es frecuente para enlazar capítulos,

_____

(3) «Tanto como *Alfanhuí* es un prodigioso ejercicio literario basado en la completa libertad de la fantasía», *La novela española contemporánea*, E. DE NORA.

como, por ejemplo, a la noche del capítulo IX (primera parte) le sigue el sol del X. El cambio temporal puede ir acompañado de oposición mecánica como la diferencia que observamos entre la quietud del final del capítulo XV (primera parte): «durmió... al abrigo de la noche» y el dinamismo del XVI, «El tren de la madrugada».

El cambio temporal puede efectuarse de una forma progresiva, en el final del capítulo VII (primera parte) «oscurecía» y en el VIII «la noche había caído totalmente».

En el apartado *b*), donde se estudia el nexo local, una preposición de lugar pone en contacto el fin del capítulo II y el III (primera parte): «tuvieron que mandarlo de aprendiz con un maestro taxidermista» y «En Guadalajara vivía el maestro disecador». Por contraste se enlazan el XVIII (primera parte), donde la acción transcurre en el campo, y el I (segunda parte), donde se pasa a la ciudad, Madrid. Hay también relaciones progresivas locales como en el X (tercera parte), en el que se anuncia Palencia, y el XI, donde la acción transcurre en la ciudad. La repetición de una misma palabra puede servir en algunos casos para marcar el nexo unitivo, como «llanura» entre el II y III (tercera parte), y «tierra» entre el X y XI (tercera parte).

En la relación temática, correspondiente al tipo *c*), una idea o sentimiento puede servir para establecer la «liaison» entre partes de la acción. El capítulo XVII (primera parte) concluye con que Alfanhuí y su maestro compusieron varios pájaros de adorno, y en el siguiente se dice que «el maestro llamó un día a Alfanhuí para darle el título de oficial disecador». El capítulo VII (segunda parte) termina con el diálogo de dos niños, en el que uno pregunta: «—¿Eres el caballero Zarambel?», y el siguiente se une al anterior con un tópico infantil: los bomberos. Son, a veces, las emociones las que unen partes diversas de la narración como se ve entre el final del XIII: «Pero el pájaro había sido matado por un cazador, y por toda Guadalajara corría ya una voz de escándalo y espanto», y el XIV, «A las doce de la noche, Alfanhuí y su maestro fueron despertados por un murmullo de hombres airados que venían en tropel calle arriba».

Aparte de las tres clases de relaciones mencionadas anteriormente existe en *Alfanhuí* un preciso ordenamiento de capítulos que sigue una rigurosa estructuración. En la segunda parte el capítulo I se centra en el personaje Zana, el II en Alfanhuí y el III reúne a ambos. En la tercera parte encontramos otro caso de regulación entre capítulos: en el capítulo III los personajes van camino de Moraleda, el IV nos presenta a la abuela en su casa de Moraleda, y en el V Alfanhuí se une con su abuela en Moraleda.

Existe pues, en *Alfanhuí,* un sistema de eslabonamiento que enlaza cada una de las acciones de este libro y que nos descubre la armoniosa estructuración de la arquitectura de sus partes.

Imagen.

El virtuosismo formal de Sánchez Ferlosio radica fundamentalmente en el uso de la imagen. En *Alfanhuí* la imagen más característica es aquella en que intervienen animales, y, según la cualidad del primer término, las dividimos en: *a*) persona-animal; *b*) naturaleza-animal; *c*) animal-animal.

En el primer apartado se incluyen las comparaciones cuyo primer término es un ser humano o acciones o emociones propias de la persona. Así, por ejemplo, Alfanhuí tiene «los ojos amarillos como los alcaravanes» (p. 19); a veces se animaliza el sonido como en el caso de la niña que «tenía la voz endeble, mohína y pequeña, como los corderos de las montañas» (p. 139); también se compara un sentimiento con un animal, como cuando se lee que el niño está triste, «como si tuviera en el pecho un nido de cornejas» (p. 62).

En el grupo naturaleza-animal la grandeza elemental del reino mineral se equipara a la de los animales, como en el ejemplo siguiente: «La montaña es silenciosa y resonante. Como el vientre de la loba es su vientre, arisco y maternal. Esconde sus manantiales en los bosques como la loba sus tetas entre el pelo» (p. 134).

La luna, en este mundo fantasmagórico, típico del alma infantil, juega un papel esencial: «Bajo la luna grande y luminosa de los veranos que anda de lado, como una lechuza por un hilo que puebla de guiños la llanura» (p. 178) y las fuerzas misteriosas e incontrolables de la naturaleza, portadoras de signos maléficos, se comparan a animales de cualidades repugnantes: «la noche y la tormenta se echan encima como un buitre» (p. 135).

Al aproximarse a la ciudad —símbolo para el niño de lo artificial, malo y perverso— el carácter primitivo y salvaje de los animales que antes entraban en la imagen desaparece. Despectiva e irónicamente se dice del río Manzanares que «corría como una cucaracha». El color negro del animal alude a la suciedad del río.

En los símiles donde las dos partes son animales se nota la tendencia del autor por los animales pequeños, es decir, los que están más en consonancia con la tierna psicología del niño. El espíritu observador de Alfanhuí se refleja en este tipo de imagen, como cuando al referirse a los lagartos dice que tienen unos «esqueletitos blancos con la película fina y transparente, como las camisas de las culebras» (p. 12), y posteriormente nos dice de los gecos que «son blancos y temblorosos como pichones» (p. 100).

Es indudable que existe en *Alfanhuí* un evidente gusto por la imagen, lo cual puede explicarse dentro del fenómeno literario contemporáneo como resultado de la supresión de la anécdota; ésta, a su vez, se elimina a causa del subjetivismo, movimiento que valora la impresión que en el sujeto produce la realidad objetiva (4).

---

(4) Estas ideas del fenómeno artístico contemporáneo están tomadas del profundo estudio de CARLOS BOUSOÑO, *Teoría de la expresión poética*. Ed. Gredos, 4.ª edición. Madrid, 1966.

Es interesante considerar en *Alfanhuí* el estudio de las imágenes donde predominan elementos misteriosos, infantiles y populares.

Gusta Sánchez Ferlosio del recreo del mundo arcano en la imagen. El viento jugando con las sombras de los pájaros de un taxidermista hace que éstos ejecuten «una danza de rígidos fantasmas de largas y desgarbadas patas» (p. 38). A veces el motivo misterioso encierra cierta calidez humana: «en el borde de la chimenea bailaba el duende saltimbanqui de los rescoldos» (p. 74).

Los motivos infantiles impregnan todo el relato dotándolo de un vitalismo y candor inigualables. El niño, jugando en un trillo, va «montado en aquella rueda de oro, como en un tiovivo» (p. 79). Don Zana haciendo chocolate «se meneaba como un malabarista, como si estuviera en el circo» (p. 87). La nieve, elemento infantil en los cuentos, sirve para establecer el siguiente símil: «Alfanhuí sentía caer sobre sus pestañas una lluvia de polvo que bajaba como una nevada invisible» (p. 39).

Lo popular, como lo misterioso e infantil, constituye también una exaltación de lo primitivo, antiguo, puro. Sánchez Ferlosio usa muchos materiales populares, a veces, festivos: «Parecía que habían sido echados al aire (los pájaros artificiales) los disfraces de carnaval o que habían lanzado pasquines desde un balcón» (p. 62) y en otras ocasiones, tradicionales: «Como puñados de trigo derramados sobre la piedra, volvían del fuego las historias» (p. 81).

La imagen en *Alfanhuí* aparece, pues, elaborada a base de animales y temas misteriosos, infantiles y populares. El predominio del elemento animal se explica por constituir una parte esencial del diario vivir de Alfanhuí. Los seres de la naturaleza representan lo humilde y elemental de donde el niño aprende todo. El misterio, como recreación del alma infantil de Alfanhuí, expresa la irracionalidad artística propia del mundo contemporáneo, y que se traduce en la imprecisión del mundo de sombras en que se mueve lo misterioso. La imagen le sirve al autor para expresar el secreto mundo de la mente infantil. Lo infantil y popular representan también la exaltación de lo irracional que en la mente del niño corresponde a lo elemental, candoroso y virginal, donde las propiedades de los seres y objetos se nos dan en toda su sencillez. Los ojos del niño le sirven a Sánchez Ferlosio para una peculiar plasmación de la realidad.

Color.

La cita bíblica que preside el libro anuncia el elemento que va a predominar en él: la luz. «La lámpara del cuerpo es el ojo. Si tu ojo es limpio, todo tu cuerpo será luminoso».

La lectura de *Alfanhuí* es placer para la vista por la policroma descripción que llena sus páginas. Alfanhuí, el niño, es inocencia, mirada tierna siempre preparada a recibir las más variadas impresiones del mundo animal, vegetal y fantástico. Analizamos a continuación la variedad colorista de esta obra.

a) *Blanco.* Abunda con la implicación de pureza que generalmente lleva asociada este color: «A Alfanhuí le gustaba más la de la luna porque tenía la piel blanca como su luz» (p. 31); es el color que más valora, y así lo vemos atesorar la piedra de vetas que emitía luz blanca, luminosa (p. 29), y en otra ocasión, al entrar en la ciudad, se quita las alpargatas y se pone sus calcetines blancos. Este color es también, en otra escala de valores, lo absoluto, lo eterno: «el reino de lo blanco, donde se juntan los colores de todas las cosas», le dice a Alfanhuí su maestro antes de morir.

b) *Verde.* Este color de la naturaleza ocupa un lugar destacado en la escala valorativa del niño. Los elementos de la naturaleza tienen este color: «verde brillante y oscuro de las copas de los árboles» (p. 142), y las gamas de este color se enriquecen en el episodio que nos presenta al niño trabajando con vegetales: «verde de lluvia», «verde de cuando no llueve», «verdes de sombra», «verdes de luz», «verdes de sol», «verdes de luna», «verdes de retama» (p. 186).

c) *Rojo*. Aparece con muchas matizaciones: «rojizo de polvo de tejas» (p. 39) corresponde al color del limo del charco de una gotera; «roja de pimentón o de corinto es la ceguera» (p. 128); «rojo escarlata» es el coche de los bomberos (p. 121); «rojo casi negro» es a veces el color de la sangre (p. 17); «rojo líquido como el vino de Burdeos puede ser el color de la silla de cerezo» (p. 40), y el tronco de un árbol puede ser «rojo cereza» (p. 142).

Los otros colores de la paleta de Sánchez Ferlosio son: azul, negro, morado, pardo, gris, crema, corinto, lombarda, turquesa, grana, bermejo, púrpura, oro y ocre.

d) *Colorido*. Casi todos los colores anteriormente mencionados se componen de más de un tono, pero existe una gran variedad de grados y matices dados por combinaciones de varios de los colores enumerados. El impresionismo de Sánchez Ferlosio —al reflejar el perfil ilusorio de los objetos de una forma difuminada e imprecisa— se manifiesta, por ejemplo, en la abundancia de descripción de ocasos: «luz entre carmín y escarlata» (p. 16); «morados y amarillos cañaverales» (p. 36); «llamarada roja y amarilla» (p. 66).

Los colores formados por palabras compuestas aplicados a la naturaleza son muy numerosos. La nube es rosa-valladolid (p. 52), las matas tienen un color verdinegro (p. 189) y las barriguitas de los gecos muertos tienen tornasoles verdiamarillos (p. 100). Las combinaciones y variaciones son innumerables y su enumeración sería prolija.

Para la expresión de su mundo cromático Sánchez Ferlosio incluso se sirve de los verbos: «azulear la noche» (p. 29), «amarillea el espino» (p. 68), «la luna roja se fue blanqueando» (p. 33), «blanqueaban ya las rosas» (p. 142).

Sumariamente puede afirmarse que la calidad artística de *Alfanhuí* radica, según hemos visto, en:

1. Armonía entre las partes y en el conjunto mediante una cuidada y estudiada organización.

2. Gusto y variedad en el campo de la imagen con pre-

dóminio en los motivos animales, misteriosos, infantiles y populares.

3. Dominio del autor para reproducir las más variadas sensaciones ópticas y tonos cromáticos (5).

(5) Un excelente estudio sobre la función del color, el reino animal y vegetal en el poético orbe narrativo de Sánchez Ferlosio puede encontrarse en el trabajo de MEDARDO FRAILE, «El Henares, el Jarama y un bautizo». *Revista de Occidente*, 122, mayo, 1973, pp. 125-142.

LA ALIENACION DE LA SOLEDAD EN
«EN EL SEGUNDO HEMISFERIO»
DE ANTONIO FERRES

La carrera novelística de Antonio Ferres, autor que puede incluirse en la «Generación de Medio Siglo» o en la «Generación Inocente» (1), se caracteriza por el cultivo de una literatura esencialmente testimonial —no documental—; en él la obra de ficción no sólo refleja el medio social donde ésta se desarrolla, sino que sirve como forma de conocimiento de la historia. El mejor ejemplo del realismo social practicado por este novelista lo constituye *La Piqueta* (Editorial Destino, 1959), relato donde aparecen armoniosamente combinados el elemento social —demolición de chabola de campesino emigrado al extrarradio madrileño— y el lírico —amor que de esta destrucción nace entre los jóvenes Luis y Maruja—. Las mismas calidades poéticas y objetivistas pueden observarse en *Viaje a las Hurdes* (Editorial Seix Barral, 1960), obra que animó a Ferres a recorrer el mapa de la geografía española para ponerse en contacto con el dramático vivir del pueblo. Fruto de esta tendencia fue *Tierra de Olivos* (Editorial Seix

_____

(1) JOSÉ MARÍA CASTELLET. «La novela española quince años después», *Cuadernos del Congreso por la Libertad de la Cultura*, núm. 33, noviembre-diciembre, 1958 (p. 51).

«Toda nuestra generación está marcada por la Guerra Civil. Los que fuimos niños en la guerra somos una generación auténticamente inocente». Declaraciones de A. Ferres a Antonio Núñez en la entrevista «Encuentro con Antonio Ferres», *Insula*, núm. 220, marzo, 1965 (p. 6).

Barral, 1964), y últimamente *Mirada sobre Madrid* (Editorial Península, 1967), donde la crítica social deja la zona periférica de la capital española para introducirse en el corazón de la urbe. La Guerra Civil española —que el novelista vivió a los doce años— ha dejado huella profunda en todos sus escritos, especialmente en la trilogía *Las Semillas,* cuya primera parte, *Los Vencidos* (Editions de la Librairie du Globe, 1965), es un estudio del trágico mundo de los vencidos en la Guerra Civil entre los que se encuentra el marido perdido que la protagonista busca entre los presos y gentes del Madrid de posguerra.

La tendencia objetivista de testimoniar la circunstancia española, el realismo crítico de Ferres de denuncia de los valores del sector de la burguesía española, ha sufrido una evolución hasta llegar a su obra *En el Segundo Hemisferio* (2), novela donde aparece superada la visión parcial de su crítica del vivir nacional.

El título, como el contenido y la forma del relato, es polisémico. Etnicamente aparecen reflejados en *En el Segundo Hemisferio* dos mundos: el de la ética anglosajona de Nancy, el personaje central; y el mexicano, representado por su amigo Arturo. Las dos partes a las que el término hemisferio alude están íntimamente relacionadas, como luego veremos, con el problema esquizofrénico de la protagonista y el medio donde ésta se encuentra ubicada, mundo que, a su vez, aparece escindido en dos mitades: el de los locos (alienados) del hospital, y el de los legalmente sanos situados fuera del manicomio. El escritor, por su parte, ha de crear un mundo imaginario —el de sus personajes— en el que temporal y paradójicamente se enajena para una mejor intelección de los problemas de orden existencial. Este distanciamiento que de sí mismo efectúa el novelista, sumergiéndose en la conciencia del personaje para mejor situarse en su problemático mundo, constituye un «segundo hemisferio».

---

(2) *En el Segundo Hemisferio.* Barcelona Ed. Seix Barral, 1970. Los números que en paréntesis aparezcan a través del texto se referirán a esta novela.

La cuestión temporal.

En el Segundo Hemisferio trata de la destrucción física y psicológica de un tiempo (conciencia), así como de la reconstrucción de éste por parte del personaje-narrador desde un tiempo presente, su única certidumbre («Pero yo conservo la certidumbre de ser un cuerpo vivo que sólo tiene tiempo presente. Algo queda además del milagro de las palabras», p. 175). La acción dura lo que las palabras que Nancy escribe en la cabina telefónica a su salida del hospital donde fue internada para tratamiento psiquiátrico después del tornado de 1966, único dato real e histórico que, junto a las crónicas periodísticas, le ayudan a reconstruir su pasado desde el presente. El acto de tener conciencia de la duración es prueba de la existencia, ya que existir es cambiar, durar en el sentido de tratar de comprender lo que pasó más que de aportar datos a la memoria. Nancy escribe y llena hojas para recuperar el significado de las palabras, única forma de liberar, salvar el pasado, la memoria (3) de la completa destrucción que emblemáticamente representa el tornado, «Siempre fallaba todo y la vida era como una suma de encuentros fortuitos de fracasos y frustraciones que sólo era capaz de unir el milagro de las palabras y la credulidad» (p. 181).

El novelista aspira a la totalidad, es decir, a reunir los aislados, incompletos, fragmentados momentos de la vivencia del personaje en una unidad superior mediante la síntesis —no ordenación— de la duración interna del personaje, es decir,

---

(3) «Olvidar es también perdonar lo que no debe ser perdonado si la justicia y la libertad han de prevalecer. Tal perdón reproduce las condiciones que reproducen la injusticia y la esclavitud: olvidar el sufrimiento pasado es olvidar las fuerzas que lo provocaron sin derrotar a esas fuerzas. Las heridas que se curan con el tiempo son también las heridas que contienen el veneno. Contra la rendición al tiempo, la restauración de los derechos de la memoria es un vehículo de liberación, es una de las más nobles tareas del pensamiento humano», HERBERT MARCUSE. *Eros y Civilización.* Barcelona. Seix Barral, 1969, p. 214. Traducción de Juan García Ponce de *Eros and Civilization. A Philosophical Inquiry into Freud.* Boston, Beacon Press, 1953.

captando su realidad interna y externa, única forma de aprehender su personalidad completa.

La disociación de los diversos estados de conciencia de Nancy, cuyo proceso vital lo conocemos a través de las recordaciones provocadas por las preguntas-estímulos del psiquiatra, explica la ruptura formal o aparente desestructuración de la novela (4).

En el proceso de identificación de su psicosis va Nancy más allá del recuerdo de las personas que conoce, e imagina seres y acciones que podrían haber existido como si quisiera perpetuar el recuerdo, lo único perecedero de cuya conservación depende su propia salvación. La memoria voluntaria (razón) e involuntaria aparecen conjugadas y en esta última es donde los recuerdos pasados y presentes se mezclan con más frecuencia en el proceso rememorativo de la protagonista. Por su parte el inconsciente, el id —que tan importante papel juega en la vida psíquica de Nancy— tiene un dinamismo, quizá por su carácter primitivo e irracional, que no conoce pauta o medida temporal, ni los efectos del tiempo sobre el proceso psíquico.

El problema de la alienación.

El tipo de desorden psico-social —alienación— de Nancy se manifiesta en tres planos íntimamente relacionados entre sí: a) extrañamiento de sí misma (problema de la identidad); b) extrañamiento de los otros (problema de la incomunicación); c) extrañamiento del mundo.

Nancy, a causa de la rígida disciplina moral impuesta por el superego familiar, aparece privada de la capacidad para realizar su felicidad. Su esquizoide personalidad provoca la diso-

---

(4) La forma es cuestión existencial u ontológica en nuestra época, donde el novelista se preocupa por el análisis de la problemática del ser, su existencia en un mundo donde los valores han perdido su validez. La dualidad vida-forma ha desaparecido y esta última es expresión de lo más íntimo y personal del autor, de su libertad.

ciación de sí misma y de los otros en un mundo moralmente destruido (5), emblemáticamente representado por el tornado que ha arrasado su vida. Sin embargo no se resigna a la muerte de su yo ni del mundo y lucha contra la amenazante nihilidad deseando que exista algo, «Pero algo tenía que existir, como ahora mismo tiene que existir algo» (p. 174). El problema de Nancy a través de todo el relato es el de preservar su precaria identidad frente a lo inhumano de la sociedad. Amenazada por el mundo exterior se repliega en sí misma creando su propio mundo, fuera de la realidad, alienándose objetivamente, es decir, convirtiéndose en el único objeto para sí. La insatisfacción de la autoalienación la lleva a separarse de todo y todos, que produce la forma de enajenación más típicamente humana: la alienación de la soledad.

La imposibilidad de separar la alienación individual de la social nos lleva a la consideración más importante del efecto de la alienación que constituye el tema central de *En el Segundo Hemisferio*: la soledad, sentimiento que a todo nivel experimenta Nancy, «Es lo que suele ocurrir siempre, porque estamos realmente muy solos y muy náufragos y perdidos, solos en medio de un mundo enorme» (p. 121).

La comunicación auténtica sólo puede ser establecida espontáneamente y Nancy, debido a las restricciones morales y sociales impuestas por la institucionalizada autoridad familiar, así como por el medio alienante, vive en un permanente estado de escisión caracterizado por la inautenticidad de toda su comunicación personal, ya que la falta de relación con ella misma se refleja en la carencia de relación con los otros. Nancy se nos aparece siempre ocultándose a los otros, sistema defensivo del esquizofrénico o introvertido el cual teme ser dominado por los otros, al perder su identidad, dándose en la amistad, en el amor (6). Esta permanente ocultación de sí misma se con-

---

(5) «In the schizophrenic state the world is in ruins, and the self is (apparently) dead», R. D. LAING. *The Divided Self*. Penguins Books Ltd., 1970, p. 85.
(6) «In fact, as we have said, pretence and equivocation are

vierte en segunda naturaleza que elimina completamente la posibilidad de cualquier tipo de contacto personal, «Me gusta despersonalizarme, despersonalizarme más y más a su lado. Eso: DESPERSONALICEMONOS si es que estuvimos personalizados alguna vez» (p. 133). La forma favorita de la incomunicación es el silencio, «Pero hay que callar si quieres estar a bien en alguna parte» (p. 135).

Nancy se nos aparece como una chica tímida, introvertida, con un padre que la abandonó y una madre que se consume esperando la incierta vuelta de su esposo. Su familia está dotada de un puritanismo anglosajón con una moral judeo-cristiana, donde la vida de los instintos es pervertida y restringida, creando en la joven Nancy una mala conciencia, culpa por pecado, a causa de no haber satisfecho con su conducta el juego de las normas de la familia. La cosificación de Nancy bajo la regla impuesta —recuérdese al respecto las graves implicaciones psíquicas que la ceremonia del bautizo dirigida por el abuelo Edward tiene sobre ésta— le impide realizarse de una forma total, libre. La madre también juega un papel fundamental en las formas de represión a que se encuentra sometida Nancy, como lo prueba el obsesionante recuerdo de la escena en que la madre espera a la hija que llega tarde a casa «sucia de pecado».

El yo, según Freud, queda entre dos frentes: el ello, erótico, destructivo y el mundo externo. La represión que del ello hace Nancy se traduce en un impulso agresivo —reflejado en el supuesto asesinato de su madre— que expresa la impotencia de su yo ante la coerción ejercida por las fuerzas del Super Ego. La gratificación erótica que Nancy tiene con el frío y deshumanizado Arturo no es en modo alguno liberación, sino simple desplazamiento de la presión y agresión familiar contra la

---

greatly used by schizophrenics. The reasons for doing this are, in any single case, likely to serve more than one purpose at a time. The most obvious one is that it preserves the secrecy, the privacy, of the self against... Despite his longing to be loved for his 'real self' the schizophrenic is terrified of love. Any form of understanding threatens his whole defensive system», R. D. LAING. *The Divided...*, p. 163.

colectividad, representada en este caso por Arturo. Esta agresión, aunque determinada por la soledad, es el resultado de los fuertes vínculos de dependencia familiar a los que Nancy se vio subyugada (7).

Las exigencias del id, coartadas por el Super Ego, se rebelan contra el ego y el mundo externo. Rechaza pues Nancy el eros «normal» —el procreativo representado por la moral de su familia— aspirando a una nueva realidad sexual que ha de buscar muchas veces en la fantasía erótica (8), plano donde cree poder realizarse libremente sin miedos ni represiones. Esta falsa fórmula de combatir la incomunicación —alienación amorosa— se basa en una errónea dialéctica que de ninguna forma soluciona el problema de identidad que sufre Nancy, ya que se apoya en la destrucción del yo que considera inauténtico, el cual es sustituido por un falso yo que se proyecta sobre personas y situaciones.

El miedo a no ser nada, a la aniquilación que desde niña persigue a Nancy, la impulsa, como medio de conservar su identidad, a reencarnarse en distintas personas en busca de una solidaridad que no puede alcanzar en su vida real.

La neurosis —conflicto entre el yo y el ello— de Nancy no es orgánica, sino psico-social, y deviene en muchas ocasiones neurosis por conflicto del yo con el medio o mundo externo. Una forma de manifestarse su neurosis es refugiándose en un mundo irreal de personajes e incidentes imaginarios donde cree reencontrarse después de su fracasado intento por incorporarse

---

(7) «Dependence and agression are indissolubly linked; for to be dependent upon another person implies some degree of restriction by that person. Restriction, as one form of frustration, evokes agression... Agressiveness is at its maximum when dependence (and hence inequality) is at its maximum; as development proceeds it becomes less important till, at the point of maximum».
(8) «Como un proceso mental independiente, fundamental, la fantasía tiene un auténtico valor propio, que corresponde a una experiencia propia —la superación de una realidad humana antagónica. La imaginación visualiza la reconciliación del individuo con la totalidad, del deseo con la realización, del individuo con la totalidad», HERBERT MARCUSE. *Eros...*, p. 140.

a un mundo de valores destruidos (9). Al situarse fuera de su circunstancia, de la historia, cae en la actitud alienante de quererse buscar fuera de sí misma.

Respecto al extrañamiento de Nancy del mundo hay que señalar que las coordenadas históricas de *En el Segundo Hemisferio,* las condiciones sociales determinan las causas de la alienación individual. La sociedad norteamericana de consumo (10) provee de un hábitat ideal para el nacimiento, desarrollo y conservación de neurosis, alienaciones y miedos. Toda la novela está llena de datos referentes a la invasión del mundo de los artefactos y a la influencia deshumanizante que estos tienen sobre el individuo. El automóvil y la cabina telefónica —limitándonos a dos de los instrumentos más usados por los personajes de esta novela— se nos presentan en diversas ocasiones desempeñando la función inversa a la que están destinados: la incomunicación. En el coche Nancy realiza todos los actos sexuales con los que inútilmente trata de superar su alie-

_____

(9) Analizando las características del neurótico afirma Castilla del Pino: «Para tales personas, la mejor forma de eludir la realidad y su variabilidad es hacerse su realidad y operar con ella de forma que jamás le decepcione. Lo más gratificador de la elaboración fantástica no estriba sólo en esto. Radica también en que, en el mundo así construido, el Yo es visto como protagonista. De modo que la gratificación que por este trabajo recibe el sujeto es triple: a) huida de la realidad. b) evasión hacia un mundo propio, gratificador. c) seguridad del Yo en él mismo...». *Psicoanálisis y Marxismo.* Madrid. Alianza Editorial, 1969, p. 178.

(10) Consumo incluso de la negatividad, de las no cosas, «Lo peor es esa manía del país riquísimo que nos está entrando, esa manía de comprar no cosas. Ahora compramos no-leche y no-cereales y no-grasas, cosas que los técnicos certifican como no-alimentos, y ya estamos comprando no-profesores, señores que son tan importantes que ya no enseñan nada, ni tienen clase ninguna», *En el Segundo Hemisferio,* p. 101.

El consumo dominical de la religión —como el de los productos alimenticios que se compran el viernes o sábado— es un tema al que se alude en la novela para explicar la alienación religiosa de Nancy, «vamos llegando para pasto del señor cura ese y para arrimarnos a los alemanes de la iglesia de enfrente. ¿Cómo se llamaba esa iglesia, Pete? Se me ha olvidado porque hay tantas en la ciudad, en todas las ciudades de este estado, que propongo construyan un Supermarket-Superiglesia en el que cada uno elija lo que quiera, Pete», *En el Segundo Hemisferio,* p. 93.

nación individual, y la cabina telefónica es el encierro donde trata de combatir su soledad escribiendo las memorias que puedan redimir parte de su pasado. Desde este retirado lugar también intenta inútilmente comunicarse con Arturo, creyendo que éste —otro solitario— puede ayudarla en su aislamiento, e ignorando que el ser auténtico está condenado a realizarse en su soledad.

En el hospital Nancy trata inútilmente de superar el problema de su identidad y soledad con el psiquiatra, profesional cuya función consiste en establecer un diálogo entre la supuesta mitad sana del paciente y la mitad enferma, juego al que dócil y escépticamente se somete Nancy: «Este médico no fuma después de la última campaña contra el cáncer. Sonríe. Pero yo estaba ya sonriendo, antes que él, enfrente de él. Sonreímos» (p. 171).

La destrucción a que conduce la alienación de la soledad, el sentimiento del existir anónimo, lleva a Nancy a la consideración de la gratuidad del existir, del «estar de más» en un universo arbitrario y absurdo donde ni el mismo suicidio tiene sentido: «No merece la pena ni el suicidio, porque cuentas y vales tan poco que ni siquiera va a notarse en nada tu desaparición aquí en este mundo o lo que sea donde todo es tan superfluo y casual y sin sentido...» (p. 138). Al salir del hospital se encuentra Nancy con el mismo carácter de provisionalidad en la ciudad de Topeka y su primer pensamiento es dirigirse a la casa de Betty —la amiga con quien pasó un verano tratando de superar su incomunicación y nihilismo— quizá porque esta joven simboliza algo fijo con lo que identificarse y poder combatir la invasión de soledad que sufre al abandonar el manicomio, «nadie en los jardines ni en ninguna parte. Ni un alma por ahora» (p. 178). Nancy se encuentra finalmente libre, arrojada en el vacío e indistinto mundo, condenada a poner en juego su libertad con la que no sabe qué hacer: «Es ahora cuando voy notando alegría al saberme libre, aunque no sé a dónde ir, ni qué hacer con mi cuerpo» (p. 178).

La incomunicación parece que va a ser rota cuando ve —en

las últimas páginas del libro— una especie de jardín abierto por donde aparece una mujer pelirroja con un niño de la mano, produciéndose la siguiente escena: «La pelirroja debe de llevar mucho tiempo observándome disimuladamente. 'Soy blanca', pienso. 'Soy blanca'. Me empino yo también pisando el césped, y miro por encima de la panza de tierra cubierta de verdura».

—¿Quiere usted algo?

—No, muchas gracias.

—Ah, creí que buscaba usted a alguien —dice secamente la mujer.

Es una voz asustada, velada por el miedo, como la de cualquiera de nosotros en el hospital...» (p. 179).

El miedo a desposeerse y el temor ante el inhumano tono de voz de la desconocida le hace responder a su demanda: «No, muchas gracias», a lo que la mujer responde con un seco, cortado y paradójico: «Ah, creí que buscaba usted a alguien»; paradójico porque el drama de Nancy es que busca desesperadamente a alguien, pero de nuevo se da cuenta de que el mundo de fuera está lleno del mismo miedo y silencio alienatorio que el mundo de locos que acaba de dejar. Sigue, sin embargo, en su breve peregrinaje hacia el centro de la ciudad, centro del tornado, motivo central de su angustia, para comprobar de una forma colectiva la alienación de sus semejantes: «Mis ojos tropiezan con los ojos y con las caras de la gente que pasa sin dejar rastro tampoco, sin dejar nada» (p. 183). Tanto la reacción individual de la mujer como la del grupo reflejan el triunfo del proceso inexorable de la mecanización de la relación humana en un mundo atomizado (11).

---

(11) El tipo de asociación humana en que el individuo se da de una forma parcial, fragmentada (Gesellschaft) es la predominante en la sociedad atomizada de consumo y parece ser la forma de relación humana que prevalecerá «So deep is the separation between man and man in Gesellschaft that everybody is by himself and isolated, and there exists a condition of tension against all others... The process which brings about the steady yielding of Gemeinschaft to Gesellschaft seems to be our fate. No escape or returns to Gemeinschaft (o relación humana donde la persona se da de una forma completa, total) is possible», FRITZ PAPPENHEIM.

La desolación de Nancy alcanza su punto más dramático cuando se encierra en la cabina telefónica para infructuosamente buscar el nombre de Arturo, persona que si nunca ayudó a superar el sentimiento de soledad de Nancy, constituye la única realidad a la que ésta puede asociarse para salvar su identidad. Arturo es lo único que le queda para encontrar su mismidad en un mundo donde ha perdido todo. El hecho de que el nombre de éste no aparezca en la guía no invalida la voluntad de Nancy por encontrarse a sí misma, porque para hacerlo hay que encontrarse primero en los otros. La alienación que sufre Nancy participa pues del carácter existencialista del desarraigo de la condición humana y es el resultado, o producto más acabado, de una sociedad que como proceso histórico ha creado unas condiciones que imposibilitan la relación del hombre con sus semejantes y consigo mismo.

The Alienation of Modern Man. New York. Modern Reader Paperbacks, 1959, p. 65.

«OCHO, SIETE, SEIS»:
ENTRE LA IRONIA Y LA TRAGEDIA

En el Segundo Hemisferio de Antonio Ferres señala, como en otro sitio indicamos (12), una pauta fundamental en la carrera novelística del escritor madrileño, cuyas dos últimas obras se caracterizan por el cultivo de un «realismo simbólico» un tanto alejado, desde el punto de vista de la evolución del género, del realismo crítico social de la década de los cincuenta y sesenta. *Ocho, siete, seis* (13), la más reciente narración de Ferres, continúa, e incluso supera, el tratamiento estructural del tema de la alienación, motivo que constituye la preocupación central de estas dos historias.

El marco físico y las coordenadas mentales que impulsan las acciones de los «personajes» centrales de estos dos textos han sufrido ciertas alteraciones, y la Nancy de ascendencia puritana (*En el Segundo Hemisferio*), angustiada por no saber qué hacer con su soledad, ha sido sustituida por el Octavio de *Ocho, siete, seis,* falangista obsesionado en la recreación de las partes no inhibidas de su personalidad que puedan explicar su fracaso sexual y existencial. En Nancy existe conciencia de su fundamental soledad y vacío, mientras que en Octavio predominan las fuerzas del inconsciente que involuntariamente afec-

---

(12) «La alienación de la soledad en *En el Segundo Hemisferio*». Primera parte de este trabajo.

(13) *Ocho, siete, seis.* Cito por el manuscrito próximo a publicarse en Barral Editores, Barcelona, y los números de las citas corresponderán a dicho manuscrito.

tan su consciente, trayendo a un primer plano el vacío y la culpabilidad de su fallido existir.

Desde el punto de vista de la textura narrativa *Ocho, siete, seis* constituye un universo autónomo que obedece a las leyes intrínsecas de carácter funcional que presenta la escritura, así como al juego consciente-inconsciente y a las normas que rigen esta dialéctica. El elemento lúdico, fundamental en el proceso creador, y la compleja red de relaciones a que éste obliga, explican la aparente falta de organización del todo novelístico. Dentro del tono irónico que envuelve *Ocho, siete, seis* —al que más adelante nos referiremos— analizamos a continuación ciertos síntomas de carácter temporal y psicosexual especialmente referidos a la enajenada figura del «personaje» Octavio. Un comentario final sobre la estructura que adopta el texto nos servirá para establecer los vínculos entre el pensamiento del personaje y la forma que éste adopta.

Octavio.

Destruidos el «tiempo» y el «espacio» decimonónicos se pasa en la novela de nuestros días a la destrucción del personaje. Esta noción secundaria del personaje, subordinado a la acción, aparece ya en la *Poética* aristotélica. La esencia del personaje, su importancia narrativa, es en todo análisis estructural, como en la segunda parte de este estudio veremos, mínima. Octavio tiene realidad en función de lo que dice, de sus palabras y siempre en relación con su participación en otras acciones. Este inventado narrador, distanciado, enajenado de su autor, contiene unos supuestos mentales en los que es necesario penetrar para tratar de explicárselo. Como voz narrativa o factor constitutivo de la estructura narrativa, Octavio es el plano donde inciden realidad e irrealidad.

Octavio se nos aparece como promotor general de una agencia turística (pp. 96, 152), que en plena madurez (pp. 4, 96, 128) efectúa un recorrido mental mediante el cual trata de recuperar las partes no inhibidas de su personalidad. Este autoprocesamiento que físicamente ha inmovilizado a Octavio, el cual nunca abandona la casa, tiene lugar frente a una persiana mientras completa cierta información profesional. El encerramiento en el «Metro» madrileño, así como el emparedamiento inquisitorial que imaginativamente sufre este personaje, contribuyen —en una obvia gradación ideológica ascendente— a reforzar la idea del complejo de culpabilidad que lo ha paralizado.

Los otros seres que funcional y psicológicamente juegan un papel importante en la vida de Octavio, y que ayudan a entender el complejo mundo anímico de frustración sexual de este personaje, son: Adela, su mujer, a la que conoció en un «simbólico» puesto de churros (p. 43) y con quien mantuvo un noviazgo de tres años (p. 66) cuyo fruto son los dos niños que tienen (pp. 22, 57) después de diez años de matrimonio. Hortensia, su primer amor, siempre asociado con la muerte de su hermano socialista Fernando, a quien Octavio identifica con el mundo de los vencidos, según su simplista sistema de valores, idea que sufre una radical evolución hasta convertirse en torturante duda sobre la posibilidad de que lo que él consideró nefasto —el mundo republicano— pudiese haber encerrado valores positivos. Pili, la prostituta, es el símbolo de refugio y protección para el emocionalmente desamparado Octavio, y la italiana sirve para evidenciarle su impotencia sexual.

Tiempo.

Frente a la atomización y desintegración de la universalidad y la racionalidad de los esquemas temporales del siglo XX, *Ocho, siete, seis* representa un intento de aprehensión total del ser como unidad consustancial con el tiempo, hecho que explica la compleja red de niveles temporales de orden mental e histórico de este texto.

El espacio cronológico en que se desarrolla la fábula es «un día incomprensiblemente largo e inútil» (pp. 21, 57), en una eterna espera donde el tiempo se ha detenido, «se preguntaba si el tiempo estaba pasando realmente» (p. 72) bajo un implacable sol (14) que constantemente brilla, simbolizando el eterno castigo a que ha sido sometido el protagonista por sus pasadas acciones: «Me dieron por inútil —diría él, y sentirá aquel mismo calor pegajoso en sus manos, como si hubiera nacido con ese calor y no existiera forma humana de echarlo fuera ni aun escondido dentro de la persiana verde...» (p. 11).

A la inactividad física de Octavio corresponde una idéntica inmovilidad histórico-temporal que se rompe mediante la identificación con seres y sucesos del pasado o del futuro. La historia —como Octavio, el hombre que la constituye— se ha petrificado y de aquí esa homogeneidad y repetición de un tiempo no real ante el cual observamos las mismas reacciones por coincidir las condiciones alienantes que las determinan. «No cambia nada», nos declara el personaje (p. 88) en una de sus excursiones mentales ante la actitud promonárquica de unos estudiantes en el siglo pasado.

Este dinámico mundo que el petrificado Octavio —agente de turismo— recrea, evidencia la falta de cambio que recuerda el principio heraclitiano de que aunque el agua no es la misma, el río permanece, porque los cambios de la escena española afectan a la superficie y no al fondo. La Guerra Civil es otro tiempo histórico que gravita sobre la vida y acciones de Octavio y Adela como el hecho central que más influye en sus vidas, símbolo de la destrucción material y espiritual de un mundo que ellos nunca podrán entender, recuperar o reconstruir (15).

———

(14) Irónicamente se llama al sol en varias ocasiones Lorenzo: «No había nada en el cielo, sólo aire transparente color azul, y el sol como un ojo de lumbre. 'Por qué no nos dejas Lorenzo'», p. 77.

(15) «Miraría durante mucho rato la casa de Fernando, al otro lado de la barricada. Y vería acercarse la cara gris, arrugada como la de un elefante de la Casa de Fieras, de uno de los viejos: '¿De dónde viene? Aquí todos los hombres están en el frente'. 'Me dieron por inútil' diría él», p. 11; «Y las casas en ruinas por la última guerra, por efecto del tiempo, apiñadas y negras, y las bardas del

Aunque estructuralmente priva en este relato el concepto de la «durée réelle» como la única realidad cambiable e impulsada por mutaciones de orden subjetivo, Octavio piensa el tiempo en línea recta, es decir, cronológica, cuantitativamente, dentro de ese concepto vertical que tiene de la existencia, el cual es compensado con la suma de estados (tiempo horizontal) a que su memoria le conduce. Cuando se produce la ruptura contra el tiempo mecanizado («todo sería más trágico después de haber perdido la ilusión y la esperanza de poder partir la vida en capítulos o de perseguir el tiempo en los números negros o rojos del calendario de anuncios. Estaba el calendario clavado en la pared sobre la máquina de escribir», p. 65), se proyecta continuamente hacia un utópico futuro o un pasado remoto.

Las continuas reencarnaciones, personificaciones que sufre Octavio, aumentan el carácter evanescente de este ente narrativo que como niño u Octavio-Seisdedos trata de atrasar el tiempo del reloj de la Puerta del Sol (pp. 18, 69) en un intento de buscar refugio en el inconsciente donde el tiempo no cuenta, o para eludir el fatalista acontecer histórico que lo ha condenado a terminar en un mundo termonuclearmente aniquilado. Esta ansiedad de retomar su pasado se relaciona directamente con el deseo de compensar la frustración presente mediante la purga del pasado (16), anhelando descubrir su perdida identidad en ese olvidado pretérito: «Escudriñando él aun las últimas rendijas de aire, sabiendo que la pared había crecido demasiado pronto, buscando alguna réplica instantánea que no llegaba, temblando por alguna Ayuda, por algún remoto milagro,

---

pueblo», p. 50; «y el ruido de carracas de los tranvías como si todavía hubiera bombardeo», p. 31.

(16) Este sentido retroactivo del tiempo afecta tanto a la madre de Adela como a esta última. Adela-madre comenta cuando su hija se fotografía para su Primera Comunión: «Todavía las cinco: parece que el reloj anduviera al revés», p. 31, y la hija cuando muere su padre quería saber «si el tiempo iba otra vez para adelante y entonces estaba su padre muerto», p. 43; y es a la desaparición de su padre cuando Adela va al reloj de la Puerta del Sol para retrasarlo y conoce a Octavio-Seis dedos con el que posteriormente se casaría.

por un salto de la Vida hacia atrás, por arrancar el Disfraz que cubriría todo», p. 155 (17).

La personalidad del neurótico se refleja en la fijación al modelo infantil de dependencia al pasado y a las personas que componían éste, lo cual explica las continuas vueltas y repeticiones al mundo infantil de Octavio. El reprimido presente le impulsa hacia el pasado personal e histórico para compensar el instinto de la muerte. El inconsciente que según Freud es atemporal, como el id o libido (18), constituye el instrumento de restauración del elemento primitivo, inorgánico, de donde todo emerge, tendencia de todo tipo de neurosis del que inconscientemente busca en su pasado la explicación de su presente.

La polaridad entre la vida psicológica del instinto (libido) y muerte, por insatisfacción de la primera, lleva a Octavio a la búsqueda de la segunda, la cual se manifiesta en la agresión extrovertida que se transforma en autoagresión (instinto de la muerte) por imposibilidad de haber satisfecho los apetitos del instinto (19).

El instinto de la muerte, modo de ser o tiempo histórico, otorga al ser humano unicidad, individualidad, por ser la muerte lo más propio de la vida humana, pues la unidad ontológica del ser humano radica no en su alma inmortal, sino en su cuerpo perecedero, concepto hegeliano basado en la idea de que sin la muerte, el ser se reduce a uno de los infinitos modos de la eterna sustancia spinoziana (20). Octavio no puede

---

(17) Ese pasado infantil que representa la vertiente no inhibida de Octavio-niño y que se manifiesta en diversos incidentes agresivos como beberse la leche en un descuido de la señorita Pilar, p. 6; colarse en el «Metro», p. 7; robar castañas, p. 8; volcar una mesa petitoria, p. 84; serrar la escalera para que se mate el Cojo, p. 80; adulterar el aceite del tendero que murmuró contra Adela, p. 77.

(18) «Unconscious mental processes are in themselves timeless», FREUD. *Beyond the Pleasure Principle*. Traducción de J. Strachey, London. Hogarth Press, 1950, p. 33. «In the id there is nothing corresponding to the idea of time», *New Introductory Lectures on Psychoanalysis*. London. Hogarth Press, 1933, p. 99.

(19) *Ibidem*, pp. 74-75.

(20) A. KOJÉVE. *Introduction à la lecture de Hegel*. Paris. Gallimard, 1947, pp. 517-549.

alcanzar esta separación o independencia que la muerte otorga y éste es su castigo o condenación final: la eterna desunión. Al fin del texto, cuando busca una salida a su cíclico peregrinar, un anciano le contesta que éste va a ser eterno: «¿Sabe cuándo va a terminar esto?» —le preguntó—. «Es cosa de siglos» —dijo el viejo, sin volver siquiera la cara (p. 180). Climático extrañamiento de quien ni al final puede alcanzar a verle la cara a Dios y es condenado a no encontrar la ansiada identidad y a seguir viviendo en el infierno de los otros. Octavio no se libera de sus represiones y, hasta que ellas no hayan sido vencidas, la muerte no podrá absorberlo mediante la unificación con ella. El tono del ritmo en la prosa viene marcado por una función cada vez más prevalente de la fantasía, plano por el que se precipita finalmente la textura narrativa e ideológica de *Ocho, siete, seis*.

Octavio es, pues, atraído instintivamente hacia la muerte, porque es el único medio que podía liberarlo de tensiones, frustraciones, transportándolo a un estadio remoto más allá de su niñez, incluso antes de la vida, en la inanidad que precedió a lo animado, hacia la muerte, esa muerte termonuclear que fuera del «Metro» ha detenido al tiempo.

La «inercia neurótica» (21) es debida a la alienación de sí mismo, tanto por carencia de una meta u objetivo vitales en Octavio, como por el resultado negativo de sus pasadas experiencias afectivas. La pasividad es una conciencia de la alienación, resultado de la incapacidad o no voluntad para acomodarse al mundo. Esta inercia (22) proviene también del

---

(21) «Neurotic inertia is a paralysis of initiative and action. Generally speaking, it is the result of a strong alienation from self and a lack of goal direction». KAREN HORNEY. *Our Inner Conflicts*. New York. The Norton Library, 1966, p. 160.
(22) La inmovilidad de Octavio es un símbolo recurrente en *Ocho, siete, seis*. Es obvio en este sentido la alusión constante, pp. 3, 4, a la peluquería donde el cliente queda inmovilizado, frente a un espejo, en el que puede reflejar su cara con el babero que le retrotrae a su infancia mientras escucha las formas rituales del peluquero. Las aguas estancadas en otra ocasión reproducen su tranquila imagen, pp. 115, 118, e incluso hay momentos en que Octavio llega a identificarse con personas que sufren de su misma parálisis:

hecho que Octavio cree que toda actividad va a ser mediocre o nunca semejante a la que pueda desarrollar su imaginación, experiencia donde espera resolver sus problemas («Pero no obstante a lo mejor no cabría otra posibilidad que ir con la imaginación en un abrir y cerrar los ojos hasta entonces», p. 64), pero, paradójicamente en la imaginación, sigue sufriendo Octavio los efectos de su alienación. Metamorfoseado como niño con seis dedos se crea una falsa imagen del yo idealizado con la que intenta identificarse y «este otro yo» infantil perpetúa el proceso de la falsa identificación. En el utópico futuro la alienación ha reducido a los seres a cifras, destruyendo todo vestigio de carácter humano (pp. 138-140).

El funcionario estatal Octavio sublima sus frustraciones sociosexuales en la lealtad y dogmatismo que profesa al partido que sirve, principio este último de realidad o norma social que se superpone al placer (libido). Esta institución es el moratorio psicológico donde se refugió el yo de Octavio para usufructuar y construirse una falsa identidad con la que ha venido funcionando, pues en esta asimilación ha encontrado el ritualismo autoritarista que le garantiza una estabilidad psíquica, una «persona» según la concepción jungiana. La esquizoide mentalidad de Octavio o disociación de vida emocional e intelectual se resuelve en desconfianza y recelo hacia el prójimo —característica de toda élite política— que le imposibilita todo acto de comunicación, de amor (23) —que fundamentalmente anhela— y que le obliga a funcionar mediante un sistema autodefensivo contra el amor y el odio —sentimientos indistin-

---

«tieso e imperturbable vendedor que como él se ha quedado como espantapájaros», p. 71. A través del texto se multiplican las referencias a este estado de Octavio: «Quizá se acercaría muchas veces a la ventana, pero no podría llegar más lejos», p. 150; «mirar el coche desde un balcón como un paralítico» p. 21; «se sentiría como un paralítico», p. 23; «paralizado, paralizado para siempre», p. 151, «hasta quedar finalmente emparedado», p. 152.

(23) El amor obsesivo es forma de soledad, de alienación. Con Hortensia Rodríguez piensa que sólo hacía «recitar cosas aprendidas —nunca creadas sobre el amor», p. 12, y a su futura mujer Adela le hace el amor como una estatua, ritualmente, p. 47.

guibles— que le proyectan, aislándolo aún más en su limitado mundo profesional.

La consecuencia de la actitud esquizoide, típica del introvertido, que teme ser absorbido por el otro, es la soledad. Octavio se nos aparece en *Ocho, siete, seis* en espera de una llamada telefónica, mecanismo —el del teléfono— que mantiene a la gente a distancia. Esta idea de la incomunicación tiene su paralelo en *En el Segundo Hemisferio,* donde Nancy trata de combatir su soledad escribiendo los recuerdos de su alienado presente en una cabina telefónica donde inútilmente trata de ponerse en contacto con Arturo, otro solitario.

Soledad-identidad.

Las frustraciones sexuales y sociales han encerrado a Octavio dentro de sí mismo, detrás de la persiana («sintiéndose absolutamente solo», p. 147), cárcel de la que intenta escapar —como ya hemos visto— a través de la fantasía, pues en el mundo exterior teme que la fragilidad de carácter, disfrazada bajo su imperturbabilidad, sea puesta al descubierto. La soledad del personaje es total y afecta a sus amigos Pedro y la italiana («Pero no podría eludir el sentirse sobrante, separado de ellos», p. 25), a la ciudad («Así, la ciudad entera navegando sin fin, tan lejos y extraña a él como un paisaje descubierto por Marco Polo», p. 72) y especialmente al mismo Octavio, el cual manifiesta en varias ocasiones su deseo de escapar de la soledad que lo aprisiona, «Estaría buscando como siempre huir de su soledad» (p. 141). En su eterno peregrinaje por el «Metro» dantesco, igualmente vemos reflejada la agonía de Octavio por encontrar una evasión a su soledad (24), angustia que culmina al fin del libro en el eterno extrañamiento y ence-

_____

(24) «Estuvo solo, esperando, anonadado, sin sentir la línea recta del tiempo, hasta que se decidió a buscar otro túnel», p. 117; «Solo, en las treguas, entre terminar un juego y comenzar otro, sentía miedo. Temblores que sacudían su cuerpo cuando pasaban trenes», p. 175 y en 120, 121, etc.

rramiento a que es condenado Octavio al descubrir la terrible hecatombe que ha ocurrido fuera de su infierno, catástrofe física y metafísica provocada contra el hombre por las dos superpotencias —U.R.S.S. y U.S.A.— las cuales han condenado a nuestro mundo a una alienante psicosis destructiva de la que nadie puede evadirse: «Sería un mundo destruido (tal vez aniquilado desde los subterráneos debajo de aquel nórdico río o desde el retrete de Wall Street», pp. 137 y 157).

El problema de la enajenación es esencialmente una falta de identificación con nosotros mismos, con los otros y con el mundo, pues si no se puede establecer una comunicación espiritual con los otros, difícilmente podrá establecerse con uno mismo. Octavio tiene conciencia del problema de su identidad como vemos en la obsesión por mirarse en los espejos que, en ocasiones, se convierte en miedo: «Perseguiría al peluquero con los ojos en los tres espejos, y se buscaría también él mismo» (p. 2); «Llegaría a una peluquería sin racionalización posible llena de peligrosos espejos» (p. 140). Esta aprensión por ahondar en su verdadero pasado para encontrar su mismidad se transforma en el estadio infantil en identificación con un otro yo imaginario, falso alter ego infantil que produce los estados esquizofrénicos y paranoicos del Octavio adolescente.

Sexo-maternidad.

El primer amor de Octavio, Hortensia Domínguez, está asociado siempre con la Guerra Civil (p. 104), y con el complejo de culpabilidad que tortura a Octavio (pp. 128, 132, 154) por no haber llegado a tiempo de impedir el fusilamiento de Fernando, el hermano socialista de Hortensia: «Llegaría hasta allí con el aval para el hermano de Hortensia, pero no podría salvarse del remordimiento de haberlo dejado morir» (p. 53). Hortensia opera, pues, como la conciencia de Octavio, de esa destrucción en la que éste participó y de la que no ha salido nada, excepto la duda que corroe a Octavio sobre la posibilidad de que este mundo del que él fue triunfador encerrase valores positivos. A esta dicotomía estimativa alude el texto en forma de «bardas», «barreras», etc., que obstaculizan la comunicación entre estos dos mundos (25).

El complejo materno es parte activa y esencial —aunque no única— en el desajuste psicológico de Octavio. El pecho materno, objeto primario del deseo sexual (Freud) es idealizado por Octavio en un deseo inconsciente por destruir la dicotomía sujeto-objeto que lo divide como adulto y que explica sus constantes transformaciones y vueltas al mundo infantil, sublimación donde con ayuda de la fantasía el niño se hace él mismo y la madre a la vez. Este complejo materno, provocado por falta de amparo, protección («madre ausente, tía muerta», p. 100), lleva a Octavio-niño a buscar constantemente la compañía de la señorita Pili (p. 5), la prostituta, en cuya casa se obsesiona ante la visión de «un bote que tenía pegada una etiqueta de anuncios con un niño desnudo dentro de un bote de leche condensada» (p. 6). «Desnudo» implica solo, sin protección; «dentro», es el no-superado estado intrafetal y «leche» es componente de la fase oral. Este sentimiento de pérdida del calor maternal lleva a Octavio en una de sus frecuentes excursiones mentales a sustituir al niño que mama del pecho de la madre cuando se encuentra perdido en el «Metro» (p. 113), símbolo del aparato genital femenino, o en situación de abandono (pp. 74, 98, 113, 116, 121). El miedo de separación de la madre protectora desemboca en complejo de castración donde la ruptura con el seno materno se adecua a la idea de la muerte (26). Este sentimiento de desposesión explica el donjuanismo de Octavio o búsqueda de la madre en toda mujer, así como el deseo sexual por lo prohibido que no puede realizarse en el plano consciente.

---

(25) «La casa de Fernando, al otro lado de la barricada», p. 11; «Los vecinos habrían dejado de trabajar en la construcción del heroico parapeto», p. 12; «habría un montón de piedras oscuras, como la barricada delante de la casa de Hortensia», p. 29, etc.

(26) FREUD. *Inhibitions, Symptoms and Anxiety.* Traducción de A. Strachey. International Psycho-Analytical Library. London. Hogarth Press, 1936, pp. 93-95.

El proceso de las diversas frustraciones del «personaje» culminan en la impotencia total de la escena con la periodista italiana (pp. 91-125), cuando Octavio, cuya experiencia sexual se limita a las prostitutas (pp. 91-125), pone de manifiesto su inhibición sexual en forma de vergüenza y miedo. Este personaje caracteriza una tipología del hombre español cuya moral, introyectada por la sociedad, se basa en la censura y prohibición de las expresiones naturales del placer (27). Esta incapacidad sexual (28) la compensa Octavio poniéndose mentalmente en el lugar de su amigo Pedro, el amante de la italiana (pp. 51, 64), figura esta última que quizá sólo sea producto de la imaginación del personaje. La incompetencia para el amor, que se traduce en soledad, está también determinada por creer que en el acto amoroso puede perder su vulnerabilidad emocional, o por considerar su entrega como acto humillante e incluso peligroso (29). El autor trata indudablemente de ironizar —novela considerada como género antiheroico, de burla— el sentir y el actuar de Octavio, aunque a veces esta ironía se convierta en mueca quizá como resultado de la imposibilidad por parte del escritor por responder claramente a una situación conflictiva que oscila entre tragedia y comedia, es decir, entre el querer ser lo que no es de Octavio (tragedia) y el creer que se es (comedia).

---

27) «Il est vrai que l'Espagne n'a pas la vocation du bonheur. En Espagne, le bonheur est un concept flou, presque vide de sens. Or si, comme le dit Freud, 'le bonheur n'est pas une valeur culturelle', peu de cultures ont eté aussi clairement qu'en Espagne le fruit d'une pression permanente sur les instincts humains», XAVIER DOMINGO. *L'Erotique en Espagne*. Paris. J. J. Pauvert, 1967, p. 22.

(28) La vertiente irónica de esta incapacidad la recrea Ferres contraponiendo a Octavio con la figura del Arcipreste de Hita, p. 29; símbolo de virilidad medieval, p. 64; masculinidad con la que Octavio se identifica por su numeroso vello, p. 95.

(29) «Schizoid people carry this anxiety into adult life. Because one may assume, their dependent need for love has not been met at a stage of their development when this was essential, they conceive of those whom they receive love as not only more powerful than themselves, a characteristic which they share with depressives, but also as potentially destructive and hostile», A. STORR. *Human Agression*. New York. Bantam Books, 1968, p. 95.

La libido reprimida y refugiada en el subconsciente —mecanismo denominado sublimación por Freud— se resuelve en la simbología onírica que corre por las páginas de *Ocho, siete, seis.* El hambre sexual, libidinosa, se simboliza en los exilados que regresan a la muerte de Fernando VII (p. 73) y que suben a un árbol en cuya copa se encuentra Octavio-niño, el cual empieza a comer ávidamente las acacias antes de que los soldados lo hagan. Este acto refleja una vez más la no superación del primer estadio sexual (oral) donde se ha fijado la libido. Las acacias estimulan la erogeneidad, por ser algo sexualmente excitante (vista, color, etc.) y los soldados representan la figura del rival amoroso (pp. 117, 161), obsesión que explica el odio de Octavio en sus sueños contra el Cojo, el amante de Pili, al que mata produciendo su mortal caída en las escaleras (pp. 75, 81). La idea de ascensión o soldados que suben es símbolo de la relación sexual que Octavio asimila con «las figurillas de Pedro y la italiana ascendiendo por la cuesta», mientras él se encuentra paralizado ante su impotencia (p. 50).

Del conflicto intrapsíquico —ruptura del desarrollo afectivo— y social —duda ante la precariedad del heredado mundo de la Guerra Civil— emerge, pues, la evanescente figura de Octavio, cuya función narrativa es fundamental para penetrar en el complejo funcionamiento de la arquitectura de *Ocho, siete, seis,* en el sentido de su estructura.

La estructura narrativa en «Ocho, siete, seis».

Para comprender la unidad de *Ocho, siete, seis* hemos aislado dos aspectos que, según el formalismo ruso, constituyen parte de un todo indivisible: la fábula o historia pasada y el discurso narrativo, o forma en que el lector toma conocimiento del relato según cierta organización. En esta novela hemos visto el caótico devenir mental del estático personaje, así como la parte histórica donde se evoca la realidad de los eventos nacionales —Edad Media, Siglo de Oro, Siglo XIX, Guerra Civil— en función de los presentes —emigración a Alemania, decadencia de partidos e instituciones, etc.—. A continuación vamos a considerar el discurso, es decir, cómo se dan a conocer los sucesos, la manera de decir (lexis platónica) más que lo que se dice (logos).

Narrador-personajes.

El personaje en el sentido clásico —ente portador de mundo anímico detrás del cual se encierra cierta ideología o mensaje— no aparece en este relato, aunque sí existe una voz narrativa, provisional, instrumento encargado de la narración. En la *Poética* aristotélica la noción de personaje es secundaria y subordinada siempre a la acción, es decir, puede haber fábulas sin personajes, no personajes sin fábula. La persona psicológica no tiene relación con la persona lingüística, la cual no se define por sus intenciones, sino por su lugar en el discurso. No existe, pues, relación entre persona gramatical del narrador y la personalidad (subjetividad) del que presenta la historia. El narrador no puede desaparecer totalmente, pues siempre existe una apreciación moral que forma parte de la estructura de la novela.

Los entes de ficción y situaciones creados en el relato derivan hacia la ironía amarga o simbólica que en progresión ascendente se convierte en símbolo debido a que el escritor concluye parodiando tanto los mitos del mundo social del personaje Octavio, como los del mundo social de los que fueron los enemigos de Octavio y que corresponderían a los mitos del mismo novelista.

Autor-obra.

El punto de vista del novelista es esencial para el entendimiento del material literario. La narración de Octavio deriva del tono trágico al de cierta ironía, porque todos los mitos pretenden ser parodiados en un intento del personaje (autor) por hallar una lucidez, objetivo que explica las adjetivaciones y sintagmas elegidos por Ferres, las referencias a «raza de freidores» o «churreros abstractos» (pp. 22 y 124), aludiendo a los españoles, o las referencias a los exilados —en un absurdo y eterno ir y venir— (p. 161), o a la «internacional de los muertos» (p. 53), o al mito de la vida eterna cuando el Cojo no encuentra sino un páramo después de la muerte (p. 91). Esta irónica aniquilación de mitos españoles, tanto de la derecha como de la izquierda, obedece a lo que Martín-Santos llamó función desacralizadora de la literatura (30).

El autor, A. Ferres, no cuenta historias, sino que construye un sistema de códigos, de signos de comunicación donde el personaje no se destruye sino que simplemente se despersonaliza, convirtiéndose en lenguaje, construcción (31). Octavio está sometido en virtud de este continuo proceso de personificación a reglas de sustitución donde lo vemos aparecer como Octavio o niño-seis dedos, amante furioso, desolado y perdido, victorioso o derrotado. El narrador no tiene acceso a la conciencia de Octavio, sólo es testigo que presenta, que «escribe» a través de la conciencia invadida de este personaje.

La información viene del personaje, no del narrador, y una forma típica de esta novela es dar *lo que no es* mediante el estilo directo: «diría él»; «diría ella» (pp. 57, 58), donde los protagonistas no articulan su realidad porque no tienen ninguna, están alienados, vacíos. La persona lingüística por la cual el sentido de la palabra es el acto que la profiere y el

_____

(30) A la entrevista de Janet Winecoff Díaz responde Martín-Santos:
—«¿Cómo concibe la función del novelista en la sociedad?
—Su función es lo que llamo desacralizadora-sacrogenética: Desacralizadora —destruye mediante una crítica aguda de lo injusto. Sacrogenética— al mismo tiempo colabora a la edificación de los nuevos mitos que pasan a formar parte de las Sagradas Escrituras del mañana», *Hispania*, May, 1968, p. 237.
(31) «Le héros n'est guère nécessaire à l'histoire. L'histoire comme système de motifs peut entièrement se passer du héros et de ses traits caractéristiques», TOMACHEVSKI, 'Thématique', 1925 en *Théorie de la Littérature*. Paris. Seuil, 1965, p. 296.

nivel simplemente enunciativo ha sustituido al elemento descriptivo.

Lo que interesa en la novela del siglo xx es la unidad de las acciones más que la psicología. *Ocho, siete, seis* obedece al concepto del relato como un todo orgánico compuesto de elementos heterogéneos (32), y la función de cada elemento es su posibilidad de entrar en correlación con otros elementos de la obra y con la obra en su totalidad.

Tiempo.

El tiempo es una clase estructural del relato y no existe sino como parte del sistema. El lenguaje se produce en el presente y todo discurso —categoría en la que se integra el tiempo— se identifica con el lenguaje que lo emite.

La reconstrucción del yo de Octavio es reconstrucción de sus experiencias a través de su memoria y las caóticas impresiones y asociaciones que se organizan en la estructura unificante del relato que constituye el orden que Octavio busca en su vida (33).

El tono temporal o cosmos novelístico (34) de *Ocho, siete, seis* se consigue mediante el juego dialéctico de las formas verbales que predominan en el relato: el condicional (que en pocas ocasiones se resuelve en subjuntivo, pp. 133, 144) sirve para expresar la dimensión inhibida y complejo de culpabilidad que

---

(32) «La composition romanesque est une fusion paradoxale des eléments hétérogènes et discontinus appelés a se constituer en une unité organique toujours remise en question», G. Lukács. *La Théorie du roman*. Berlin-Spandau. Editions Gonthier, 1963, p. 79.

(33) «The inner world of experience and memory exhibits a structure which is causally determined by significant associations rather than by objective causal connections in the outside world», Hans Meyerhofff. *Time in Literature*. University of California Press. 1960, pp. 23-24.

(34) «Este mundo o cosmos de un novelista —esta pauta o estructura u organismo, que comprende argumento, personajes, ambiente, concepción del mundo, 'tono'— es lo que hemos de penetrar cuando tratamos de comparar una novela con la vida o de juzgarla desde el punto de vista ético o social». R. Wellek y Austin Warren. *Teoría Literaria*. Madrid. Gredos, 1959, p. 257.

obsesionan a Octavio, y el imperfecto para enfatizar la forma repetitiva en un continuo hacerse que implica esa condena del ser-en-el-tiempo sin ninguna posibilidad de escape. El primer pensamiento subjetivamente expresado por Octavio hace referencia a esta preocupación temporal: «Otra tarde que se iba a la pura mierda» (p. 2); pensamiento irónicamente recurrente (pp. 13, 20, 144) del Octavio maduro ante una vida que se le escapa inmersa en un triunfante y vacío pretérito.

El diálogo en presente histórico —única realidad— corre a través del texto sin adoptar la forma típica de este medio de comunicación, porque Octavio lo recrea como parte de su monótona y pasada historia (p. 72) y cuando el diálogo adopta la forma usual sirve para acentuar el vacío entre los teóricos comunicantes (p. 20). La tercera persona predominante en el relato pone de manifiesto la enajenación de Octavio en el proceso de auto-observación.

El tiempo es una relación, y aunque la naturaleza del suceso cuenta poco, es importante para la combinación y relación de elementos. El tiempo espacializado, mecanizado, de Octavio es irreal e irreductible a sistema lógico de concatenación, pero la transición necesita una apoyatura de una base consciente o inconsciente. Los hiatos temporales no marcan una yuxtaposición de las unidades narrativas, y existe en el escritor un deseo de dar sentido de totalidad a lo que no la tiene, que se traduce en una serie de claves unitivas que afectan tanto a las relaciones de incidentes o episodios como a los enunciados o sucesión de frases que componen éste. El relato está, pues, constituido por encadenamiento de mini-relatos cuya sucesión de acciones no es arbitraria, sino que obedece a una cierta lógica, porque la forma es una articulación de unidades no semejantes sino de variaciones diferenciales. La liaison entre las distintas unidades episódicas de *Ocho, siete, seis,* relato que fluye indiviso sin ninguna forma de capítulos o división convencional, obedece a diversos tipos de motivación que se resuelve en un encadenamiento estructural o código mediante el cual se vinculan las distintas secciones.

Temporal.

Este tipo de enlace es quizá el predominante, especialmente en un texto donde la acción avanza constantemente o retrocede hacia la nada, hacia el cero en el problemático presente del personaje. Una unidad narrativa (p. 13) concluye con este pensamiento de Octavio: «Otra tarde perdida» y el fragmento siguiente nos lleva a la cuenta del irreversible pasar temporal: «Eran las once y cuarto...» (p. 14). A veces, obviamente, es el adverbio temporal «entonces» el que efectúa la relación temporal (p. 18), enlazando con el retraso de las manecillas del reloj, pero esta obviedad contribuye a crear la angustia en una forma novelesca en la que el tiempo objetivo no existe, o en la que el tiempo se empuja grotescamente hacia atrás. La monótona despedida al dirigirse Octavio a su rutinario trabajo enlaza en la p. 40 con el siguiente episodio en que «Adela había repetido el mismo camino muchas veces». En la p. 49 ese niño, simbólicamente dormido en el reloj de la torre, enlaza con otra situación —fiesta de Hita— mediante una referencia temporal: «Se había hecho tarde incomprensiblemente» (frase incrustada grotescamente en un tiempo de la Edad Media). Lo temporal y temático se unen en la página 104 cuando Hortensia, novia de Octavio, le pide a éste que se quede por «última vez», adjetivo temporal que une con la siguiente acción mediante un adverbio temporal: «Nunca más subió al piso de Hortensia». De este tipo temático-temporal hay otro ejemplo en la página 153 cuando el emparedamiento inquisitorial de Octavio toca a su fin y el siguiente episodio se inicia con una alusión a la terminación del día mediante el gerundio: «Iría terminándose la luz hasta que solamente...».

Evocativo.

A veces es el recuerdo el factor unitivo entre los distintos sucesos. La visión del niño dormido con seis dedos en que termina un incidente (p. 45) retrotrae a Adela a su juventud, lazo

97

7

que en este caso se refuerza mediante la vuelta al recuerdo del niño dormido en la torre al terminar Adela su recordación infantil (p. 49). Adela, la mujer de Octavio, sirve de paso para saltar a Hortensia, su amada (p. 60). El sueño de Octavio sobre el Cojo que es asesinado por Octavio-niño-seis dedos en unas escaleras, eliminando así al rival de su querida Pili, sirve para enlazar con el siguiente episodio en que aparece dicha señorita Pili (p. 80). Y esta misma joven con el accidente de la escalera son los elementos unitivos de los episodios de las pp. 161 y 163. De forma parecida la escena en que Octavio reconoce al Cojo de la foto robada por el niño-seis-dedos en el «Metro» es utilizada para enlazar con la siguiente secuencia (p. 108).

Espacial.

La liaison se establece a veces por contraste dinámico entre distintas acciones. Del «No sé qué me miras tanto por el balcón» se salta a «Bajaba de la torre» (p. 72). La aparición de la Adela con alas sirve para enlazar con el subterráneo donde se encuentra su marido Octavio (p. 174). Verbos de movimiento sirven para conectar «los vería pasar Octavio desde las rendijas» con «y habría entrado Adela» (p. 149), y el «Metro» es el medio que asocia algunos de los episodios de esta novela (pp. 110, 112, 117, etc.). La relación espacial lleva siempre a la conciencia del personaje, a la oscuridad (interior del «Metro», emparedamiento, persiana verde, etc.), mundo de sombras del que realmente nunca emerge Octavio. Ocasionalmente son las sensaciones las que producen sistemas unitivos como el efecto luminoso que comunica los incidentes en la página 120, o el niño que busca el calor y abrigo de la señorita Pili, episodio que se une al Octavio que pasa frío en el «Metro» (p. 10).

Ocho, siete, seis no puede ser considerada obra surrealista por provocación o abandono a fuerzas del inconsciente, sino por el juego de diversos niveles estructurales en torno a una concepción del mundo. Lo que parece que a Ferres le interesa es la acción liberadora que destruye las inhibiciones y permite la expresión del subconsciente. El surrealismo insiste en la idea de la alienación social que tan clara aparece en el mundo y la persona de Octavio, así como en cierto determinismo histórico, inseparable de la eterna condenación del hombre, como percibimos en las páginas de este relato donde el personaje ha sido condenado a esperar por una eternidad. La importancia de la imaginación radica en que esta constituye una forma de liberación, plano donde el autor hace vivir a Octavio y no simplemente existir. La fantasía no es simple memoria, sino reanimación alucinatoria del recuerdo donde el pasado se sustituye por el presente, identificándolos —pasado y presente—, lo cual significa una forma de negarlos, liberándolos líricamente, poéticamente (35).

Ocho, siete, seis es surrealista en tanto en cuanto se busca la realización de ese hombre ambiguo cuya libertad ha sido puesta en entredicho por la civilización utilitaria mediante la restauración del poder original del lenguaje.

Una forma de liberación adoptada en este relato es el juego que según Freud sigue siendo la esencia de la actividad humana erótica y en Octavio representa —como hemos visto— una forma de libertad en el recuerdo infantil contra la represión del placer que es paralela a la represión del juego, actividad esta última que la civilización deshumanizante ha abolido (Huizinga). El juego es parte del proceso dialéctico que se opone a la seria rigidez de Octavio, a su formalidad como burócrata o padre de familia en un posible «correlato objetivo».

La lengua cuyo poder original o ética se trata de restaurar es metáfora, juego entre materia y mente; «ludus» está íntimamente relacionado con «alludo», es decir, lo irreal o ilusorio. Este vínculo imaginario no mediatiza, distancia el plano real histórico, pues *Ocho, siete, seis* tiene una estructura dialéctica

---

(35) Breton condena la novela (*Manifieste du surrealisme.* Edition du Sagittaire, Simon Kra, 1924, p. 12), porque es anécdota y carece de la libertad que tiene la poesía en el mundo de lo maravilloso.

articulada con la realidad española, y su autor provoca un vínculo «contradictorio» entre el mundo real (del que separa al lector) y el imaginario, donde le hace vivir.

El mito paródico del vivir de Octavio se resuelve en la asociación libre del mundo del inconsciente, mundo de intuiciones intraducibles al plano lógico que explican la aparente desorganización del material literario de esta novela, fraccionamiento a distintos niveles mentales que obedece al conflicto intrapsíquico de las diversas fuerzas —operantes tanto en el narrador como en los personajes y su posible cosmos social.

La experiencia imaginista del hombre y la realidad se unen en el reflejo artístico y todas las ideas, actitudes, se convierten en la realidad de la escritura, en las palabras y su organización, única apoyatura que resta a Octavio después de la simbólica destrucción de la Guerra.

Aunque la crítica formalista se interesa por la organización de los significantes de la cual depende el sentido de la obra, éste no depende exclusivamente de la organización, sino que existe una lógica interna que determina la disposición de palabras, frases, líneas, párrafos, enunciados y secciones. La sustancia visual del texto —disposición gráfica, espacios en blanco, etc.— ayuda a confirmar la significación.

El «adelgazamiento de la prosa» es un procedimiento que aplica el novelista para trasladar diversos estados mentales de personajes o acciones. Seis dedos reconstruye su soledad con fragmentos de otros seres y vivencias en forma de estatua, como se traduce en la verticalidad gráfica del texto:

«ojo derecho negro
larga guedeja castaño
un pecho-naranja
un pecho limón» (pp. 118-119).

O en forma (la estatua) de aparentemente desordenada pintura:

«pensándola
como las calles detrás de la persiana
dibujándola
sin forma concreta
todo profundo y rojo oscuro con algunas largas manchas na-
ranja y sobre el centro de lo que pintaba habría un redondel
casi amarillo como un eterno movimiento y también existirían
«salpicaduras» (p. 119).

El adelgazamiento responde a veces al carácter de estrechez
del objeto descrito y a la lentitud triste con que sobre ellos
se fija la perdida, enajenada «mirada» de la gente de Octavio
creando así un contraste con el parecido tono festivo del relato
que se resuelve en ironía: «Alguna vez me gustaría volver a
comprar churros calientes como cuando los comía papá —pidió
tímidamente a su madre. La madre suspiró largamente como
una enamorada, y
se miró
los botones
del puñito estrecho
de la larga manga
del vestido
de riguroso luto
en una mirada interminable» (p. 46).

El dinamismo de carácter descendente, como en la descripción anatómica de una persona determina igualmente este tipo
de organización:

«orejas separadas
gruesos y brillantes
carnales labios
cumplidas piernas

Del Arcipreste descendiendo...» (p. 51).

Estas frases o sintagmas recurrentes con el pasado escrito, como el «plagio» de estos versos del Arcipreste de Hita es una forma de verificar la transposición temporal en el relato. La intertextualidad o diálogo burlesco con autores y obras del pasado —proceso inquisitorial al Arzobispo Carranza, pp. 152-153, evocación del verso del Canto del Infierno de Dante «en una selva oscura» (p. 179), etc.— se basa en el efecto irónico producido por la puesta en contacto de este material más que por un deseo de mostrar el origen culto mediante reproducción de pasajes literarios conocidos.

El proceso dinámico es ocasionalmente de tipo ascendente:

«alzando la altura de la pared
tabique
tapando
pies primero
piernas después
vientre
pecho
corazón
ojos finalmente» (p. 154).

Este tabique será el que aísle finalmente a Octavio haciéndole descender a los Infiernos del «Metro» y de la Inquisición.

A veces con premeditada obviedad el movimiento de bajada está relacionado en el texto con el del ascensor donde la prosa se va adelgazando a medida que desciende el aparato para posteriormente recobrar una dimensión más amplia a causa de que el adelgazamiento del bloque se ha llevado a límites tan extremos que hay que aliviarlo recobrando la dimensión anterior:

«muy bella. Por el hueco de la escalera bajaba
lentamente

suspendido
un ascensor
transparente
enorme
con muchos espejos
llegando hasta la mera calle de Alcalá
donde se oían los pregones roncos y contumaces de los ciegos
que» (pp. 31-32).

Los no videntes de esta cita, como los que no ven la luz
de la salida en el «Metro», o el exterior por estar tras una
ventana o un muro, aluden a las fronteras mentales en las que
el propio hombre (Octavio) se encierra o es encerrado. El escritor —la obra— trata de liberar a la condición humana de
esta cárcel, movimiento que explica el progresivo predominio
de la vertiente fantástica por el que desemboca la novela.

El descenso, que puede ser a pie por las escaleras, implica
cierta verticalidad que se rompe cuando se alcanza el final de
la bajada:

«adiós abriendo y cerrando la mano desde el primer tramo de la
escalera
seguiría
deteniéndose
de trecho en trecho
por cobrar aliento y recapacitar un segundo sobre lo que de-
                                                    [bería» (p. 67).

La alternancia de acciones determina un efecto rítmico de
la prosa:

«y ella otra vez hacia atrás
y él otra vez hacia adelante
y ella otra vez hacia atrás» (p. 138).

El dinamismo puede estar marcado por un sentido de avance-retroceso donde los cortes de período o frase obedecen al movimiento imprimido por los que vienen y van al exilio (p. 117).

El corte de la grafía en sintagmas también se produce por las pasadas de Adela con alas que dividen en unidades:

«Se pasó el resto de su tiempo volando sobre la ciudad
devorándola
desganadamente
con los ojos
raseándola
golondrina
sobre las azoteas y tejados» (p. 44).

La gradación física o mental determina igualmente la disposición gráfica del texto:

«desangrándose su deseo de volver a las achicharradas calles
veranos alejadísimos   [de la ciudad
perdidos
banderas
clarines» (p. 105).

Esta gradación tiene un matiz irónico de énfasis de lectura como de una lección escolar:

«lo que cuesta
a la gente
entender
las cosas» (p. 63).

Y a veces esta disposición expresa un matiz auditivo descendente:

«ya las palabras, apagándose, del fraile emparedador:
que Dios
tenga
piedad
de su alma
amén
amén
amén» (p. 115).

Palabras que se cortan porque Octavio (ya emparedado)
no puede seguir oyéndolas.

Una circunstancia estática, mezclada con cierta tensión, puede determinar el uso fragmentado de una frase que encierra
cierto laconismo:

«Fernando
de pie
a la puerta
con la cara desencajada por el miedo
'¿vive aquí Fernando Domínguez?'
'pasen'
entraron
'¿qué desean?'
encañonaron pistolas» (p. 148).

La palabra encierra la connotación mental y se reduce a
una cuando de por sí contiene una idea condensada que haría la
línea conceptualmente recargada:

«extendido
inmenso» (p. 54).

O a veces se aísla en la línea el término autosuficientemen-
te significante:

«agudo   «olímpico
cortante» (p. 55).   paradisíaco» (p. 125).

La lengua organiza su espacio y a veces la línea se reduce por motivos expresivos:

«Sentado en una silla detrás de la persiana que se movería ligeramente con el aire» (p. 19). O se aísla una frase explicativa directamente relacionada, como algo que debe separarse, independiente:

«sin mirarle, como si el pabellón de la oreja fuera un altavoz que emitiera sonidos» (p. 19).

Los espacios en blanco denotan la inhibición de la no expresada, pero reflexionada idea:

«hasta allí con el aval para el hermano de Hortensia
y siempre volverían las pesadillas
obligándole a huir en dirección contraria al parapeto» (p. 53).

Otra forma de representación del inhibido mundo de Octavio se efectúa por el largo paréntesis (pp. 117-120) que nos conduce por el inconsciente de este personaje o la vergüenza física que le hace esconderse tras un biombo, secuencia encerrada también en paréntesis (pp. 35-36).

La función o utilización de los elementos narrativos en *Ocho, siete, seis,* proviene del poder de las palabras para engendrar una continua red de relaciones mediante estímulos de la imaginación en virtud de lo que Ricardou (36) llama «generadores» o encadenamientos de imágenes a partir de las palabras y no del mundo afectivo del autor. Estas secuencias cronológicas se agrupan de forma inconsciente siguiendo una pauta que internamente marca el lenguaje entre los distintos niveles de la secuencia.

El enunciado comprendido entre las páginas 64 y 70 ejem-

---

(36) JEAN RICARDOU. *Théorie du nouveau roman,* Le Seuil 'Tel Quel', 1971.

plifica la forma en que se lleva a cabo esta integración de un pensamiento en otro mediante saltos espacio-temporales de diverso orden y naturaleza. Aunque los segmentos de esta secuencia son autónomos, dependen de un segmento mayor: la inhibición de Octavio, siempre bajo los dos niveles del ser y el parecer.

Trece unidades distintas aparecen articuladas en estas seis páginas mediante el poder generador de la palabra:

1. Octavio siente como Pedro en cuyo lugar se pone para funcionar sexualmente.
2. En un supuesto presente —que es pasado— se ve como dormido en el cine.
3. La realidad fáctica nos lo sitúa en su inmovilismo detrás de la cortina.
4. La imaginación le hace ver liberadores curas de la culpa que le tortura.
5. Vuelta al presente donde espera con su mujer la llegada de Pedro.
6. Se imagina en un próximo futuro en coche y su inhibición por no saber conducir.
7. Retrotrae el recuerdo a cuando iba —o deseaba ir— con extranjeras.
8. Memoria del noviazgo con Adela y ésta de Primera Comunión.
9. Adela y madre en su casa.
10. La Adela —imaginada— piensa e imagina las andanzas de su infiel Octavio.
11. Vuelta a Pedro y a la envidia de saberlo con la italiana en coche.
12. Mirada a Gobernación donde ve al niño junto al reloj que retrocede al tiempo.
13. Hecatombe producida por el río nórdico (Rusia) y Estados Unidos (Wall Street).

TIEMPO E IDENTIDAD EN «CINCO VARIACIONES» DE MARTINEZ MENCHEN

Cinco variaciones (1) de Martínez Menchén, no es una colección de cinco relatos independientes, sino una novela o fábula cuya estructura unificante viene dada por cinco componentes cuyo motivo central es la soledad y la proyección temporal de ésta. No puede hablarse de autonomía esencial de las formas o partes que integran este texto, pues la misma onda ambiental —el fenómeno del extrañamiento del ser— discurre de forma abierta bajo el plano de una realidad temporal narrativa en la que dramáticamente se integra la solitaria existencia de unos seres. Esta novela, toda novela, representa indudablemente un intento por unir los aislados fragmentos del existir, tiempo existencial irreductible a la lógica o mecánica que determina que cada una de las secuencias que componen la novela sean distintas, por ser cada momento una creación, un instante. Variaciones son formas de un tema, distintos estados anímicos, de cuya combinación queda el tema o evocación poética siempre reconocible. El «leitmotiv» de *Cinco variaciones,* novela encadenada en cinco micro-relatos, forma una solidaridad orgánica del conjunto determinada por un tipo estructural arquetípico de cada una de las variaciones cuyo significado o sentimientos tiene como denominador común la reflexión intersubjetiva de unos seres que examinan

---

(1) Cito por la primera edición, *Cinco variaciones.* Barcelona. Ed. Seix Barral, 1963. Los números de las citas en este texto corresponden a esta edición.

su vacío pasado y su problemático porvenir. Las situaciones y los sistemas artísticos que los describen —adjetivación, imágenes, poesía— concuerdan igualmente en las cinco secuencias. Existe también en estos cinco bloques una gradación descendente de orden temporal que se extiende desde el joven de «Domingo» al anciano del último relato, «Invierno».

La realidad que ampara el novelista en estas cinco variaciones bajo una anécdota mínima está centrada no en el personaje por sí mismo, sino en el proceso anímico que en todos los «personajes» sirve para evidenciar el sentimiento de extrañeza del ser humano en un mundo que no tiene —y al que es incapaz de dar— sentido alguno. Los conceptos de alienación individual y social son inseparables (2) y este fenómeno se refleja en el combate que desde la obra lleva a cabo el escritor asumiendo su soledad y con ella la de sus personajes y la de todos. Tanto en *Cinco variaciones* como en *Las tapias* los problemas de la inadaptación del ser humano vienen dados desde la mente del «héroe español» cuyos conflictos psíquicos están íntimamente relacionados con las normas culturales introyectadas por la costumbre y las instituciones.

Los seres que pueblan *Cinco variaciones* y *Las tapias,* narración esta última que es continuación de la primera, representan, pues, diversas personificaciones de la problemática del hombre español (3) y del hombre en general en la búsqueda de su unidad total, de su identidad.

La importancia concedida por Martínez Menchén al elemento temporal se patentiza en los cinco epígrafes de Whitman,

---

(2) «L'aliénation ou plus exactement la réification des activités humaines est donc un fait social, et aussi un fait interiour contemporain précisément de la formation de la vie interieure et 'privée' de l'individu. Une psychosociologie de l'aliénation est possible», H. Lefebvre. *Le matérialisme dialectique.* Paris. Alcan, «Collection 'Nouvelle Encyclopédie Philosophique'», 1959, p. 60.

(3) «De tener algún sentido, alguna función, el escribir historias en nuestros días será, primordialmente, la de dar testimonio de un hombre en el tiempo en que le tocó vivir. Y el tiempo del escritor español es el tiempo de España, de la viva y problemática España de hoy», Martínez Menchén. *Del desengaño literario.* Madrid. Editorial Helios, 1970, p. 123.

110

Aleixandre, Martínez Menchén (poeta), A. Machado y C. Sanburg —que encabezan cada una de las distintas secciones y que aluden a esta preocupación central del novelista.

El tiempo cronológico de «Domingo» viene dado por las dos horas que un estudiante pasa durante un domingo en Madrid persiguiendo —más con el deseo que con la acción— a las chicas que transitan. La pasiva actitud del personaje corresponde a la inhibición del hombre hispano hacia la mujer, objeto distanciado por el sistema socio-religioso e idealmente anhelado que tiene su contrapartida en una dinámica mental que refleja la desazón de una vida que no sabe qué hacer con el tiempo que le sobra.

El análisis psicológico detiene este relato al máximo, porque el oscuro ser que lo puebla se aferra a su preciosa temporalidad, su única pertenencia, prolongándola a través de la imaginación, escape que obedece a impulso consciente o inconsciente por establecer una dimensión que pueda liberarlo del tedioso presente.

Sin lazo familiar alguno el innominado personaje de «Domingo» no pertenece a nadie y nadie pertenece a él, pues su último y más importante lazo familiar, la madre, le ha sido cortado dejándolo en la más completa soledad: «Oh, mamá. Si tú hubieses estado conmigo, siempre conmigo. Pero yo solo, solo. Y qué dolor este de no tener nadie con quien hablar» (p. 50).

Este individuo únicamente quiere gratificar su sed de experiencia amorosa estableciendo imaginativamente contactos con las mujeres que se cruzan en su solitario camino, síntoma neurótico de proyección en el sueño de ese otro yo idealizado con el que se identifica en su perentoria necesidad de autoafirmación. Estos devaneos mentales o juego con el tiempo sobrante se reflejan en el incontrolable fluir de su mente la cual ante un estímulo, como el simple anuncio de una película (p. 16) o el olor de un hospital (p. 18), provocan una serie de asociaciones libres, como los fortuitos juegos imaginativos a que le lleva la simple presencia de un perro: «¡Caray con esta

111

perrita de presa! Y la lleva suelta. No me fío de los chuchos. Fieras. Una sentencia del Supremo. No recuerdo qué artículo: el que llevare fieras o animales dañinos sueltos. Un tigre: Cleopatra. Falta supongo que contra el orden público. Leones en las calles de Roma. Y bajarán las bestias de las montañas. Apocalipsis...» (p. 14).

La soledad existencial reflejada a nivel psicoanalítico en el complejo de Edipo —fijación a la madre muerta— encuentra su expresión indirecta en la fantasía sobre el niño que una vez vio a la puerta de un cine, y con el que se identifica a través de un mecanismo inconsciente de proyección sentimental: «El niño de esta mañana era más desgraciado. Cabrón de guardia. No tuve valor. Pobre niño. No tendría más de nueve años. Una criatura, sentada en la escalera del cine que nunca ha visto y con los caballitos de palo bajo el brazo y el bruto del guardia que va y dice: Anda, coge tus trastos y lárgate. Le hubiera cogido y estrechado contra mi pecho su pobre cuerpo delgado. Como un hermano pequeño. Le sonreí para mandarle mi compasión, todo mi cariño» (pp. 38-39).

La soledad, resultado de la frustración de las necesidades bio-sociales del hombre, se resuelve en este joven de la España de posguerra en un conflicto intrapsíquico por desajuste con alienadas formas culturales que se traduce en esquizofrenia: «Soy un caso clínico. Soy un esquizofrénico» (p. 26) nos confiesa el personaje de «Domingo» quien ha transformado en psicosis y neurosis situaciones político-económicas sociales a las que no ha podido dar solución consciente.

La forma, articulaciones del lenguaje a diferentes niveles, define a este personaje como persona o ser dotándole de existencia especialmente en función del problema de la temporalidad, ya que toda la realidad del personaje está en la mudanza.

El flujo temporal que inicia el relato viene dado por la consecutiva-temporal «y» que aparentemente no enlaza con nada, pues en realidad suprime o reduce los nexos mediante la implicación de algo dicho o pensado anteriormente por el personaje. El intrínseco realizarse temporal del personaje admite fragmentación y su vida puede ser tomada o retomada en cualquier momento sin que la continuidad haya sido destruida. La polisíndeton o repetición de nexos —especialmente la copulativa «y»— imprime lentitud al ritmo del estilo y aísla morosamente las ideas.

La carencia de drama minimiza el diálogo y las contadas ocasiones en que éste aparece se reduce a fórmulas vacías de intercambio verbal que quedan incluso sin contestar: «¡Buenas!» (p. 12); «Gracias» (p. 22). El espiritual discurrir del personaje es interrumpido en una ocasión por el irónico y ofensivo comentario de un gamberro, ofensa que queda sin contestación oral, pero a nivel mental se traduce en rapidísimo movimiento —frases breves precipitadas en torrente— de lo que podría haber hecho para responder a esta agresión callejera. Su activa imaginación incluso recurre a una escena cinematográfica donde un héroe en condiciones semejantes a las suyas reacciona valientemente (4).

El alienado favorece inconscientemente estas situaciones que le dan la oportunidad de poner en juego sus fantásticos recursos para imaginarse actuando y hablando como ese alter ego al que aspira. Este escapismo a mundos irreales para no hacer frente, a nivel consciente, a una situación, explica su enajenante actuar que se traduce en repetición de estribillos o coletillas («Guardia, me persigue un chulo», p. 23; «Qué paso llevas, pimpollo, ni que tuvieras que apagar un fuego», p. 27, etc.), o anuncios radiofónicos: «Okal, Okal, Okal. Okal es el remedio del dolor. Okal, Okal, Okal. Okal es un producto superior» (p. 18). Los tiempos y modos verbales-condicionales (o imperfecto), subjuntivos, reflejan la dimensión inhibida del personaje de todo lo que no hace y podría haber hecho. «Alguien nos presentaría» (p. 30) piensa sobre una problemática novia pueblerina, o «Ella podía estar en el balcón»

_____

(4) «En clásica, académica postura de campeón, de audaz galán cinematográfico, de pendenciero e invicto cowboy, hunde el puño izquierdo en la franja triangular del estómago. En gancho impresionante, el derecho estalla...», p. 44.

113

(p. 45); y a la chica que ve por la calle: «Le hubiera tomado y después de desahogarme con el guardia, le habría llevado al Grillón y hubiese pasado por delante de aquel portero negro y grande que nos hubiera hecho reverencia...» (p. 40). El imperativo en su uso de segunda persona en que el solitario se dirige a sí mismo (5) —contrapunto con la primera persona del monólogo interior del incomunicado personaje— sustituye a ese otro inexistente y anhelado segundo término del diálogo: «Alguien que te comprenda y a quien puedas decir: estoy solo» (p. 40).

Viviendo para sí mismo, el personaje de este relato, se oculta su realidad o relación con el mundo, convirtiéndose en el único objeto para sí, alienándose.

El segundo momento situacional de *Cinco variaciones* corresponde a «La bordadora», relato donde otro personaje innominado, una mujer en este caso, borda para matar el tiempo en ausencia de su madre y hermana, mientras evoca la ruptura con un novio, acaecida un mes antes y la de un casi desconocido hace un año. La evocación ocurre a la caída de la tarde y junto a este tiempo de la nostalgia corre implacablemente lento el tiempo del reloj: «el viejo reloj de pared marcaba las siete y veinticinco» (p. 57); «Y el reloj de pared había dado ya las siete y media» (p. 60); «Sigue el vaivén dormido del viejo reloj» (p. 66), etc. Los signos que aumentan la monotonía del tiempo se suceden a través de este relato especialmente de forma auditiva: «En un taller mecánico alguien martilleaba de continuo» (p. 56), sensación que se acentúa con la lejana imprecisa repetición de la campana: «Y las campanas del ángelus daban entre tanto su toque de oración» (p. 56), a la que

---

(5) La forma imperativa, autoconfesional, aparece en las páginas 9, 22, 26, 31, 35 y 45 y el sentimiento de soledad es recurrente a través de todo el relato: «son las dos últimas horas de esta semana y no quisiera pasarlas solo», p. 25; «Pero mírale, ese será un soñador, pero ya no está solo. Yo. Yo. Eres el único que está sólo», p. 38; «estoy solo y necesito de alguien que me proteja y que me quiera», p. 40; «Qué solo estoy. ¿No ves lo solo que estoy?», p. 52, etc.

se añade la monocorde voz de un locutor: «una voz pastosa, empalagosa en su dulzura, a través de la ancha boca de la radio cantaba la paz de la aldea» (p. 56). Idea esta última que nos remite a la idea del tiempo como armonía, plenitud de la caída de la tarde como milagro siempre repetido, es decir, junto al tiempo pasado afectivamente recreado y la angustia del tiempo ante el futuro, existe esta tercera dimensión temporal como presencia diariamente gozada.

El problema central que se le plantea a esta mujer es que le sobra el tiempo y el no saber qué hacer con él se traduce en una sensación absoluta de soledad: «Sola. No vino nadie, no vendrá nadie. Pero se puede ser feliz así. Y si no, encontrar algún trabajo, algo que te permita vivir, que consuma el tiempo, que dé a la vida un contenido» (p. 95). El estatismo, la restricción espacial acentúan la ensoñación de esta solitaria, como única forma de escapismo. Esta evocación ensoñadora se fija —una vez agotada o cansada del recuerdo de las personas— en los pequeños objetos familiares que la rodean o en la tapia que tiene frente a su casa, la cual fatalmente la retrotrae al problema central de su incomunicación.

La secuencia inicial en la que la protagonista musita una oración (pp. 56-57) a la maternidad de la Virgen María refleja el drama social de la protagonista —y el de la mujer española en general— cuya única emancipación es el matrimonio, la maternidad. Frustrada maternidad que retrotrae al recuerdo infantil cuando la protagonista de niña mecía una muñeca que la hermana le arrebató violentamente (p. 80), desposesión afectiva que se une a la privación amorosa antes mencionada (p. 94).

«La bordadora» es un continuado monólogo interior, expresión de una vida solitaria, donde el breve diálogo que ocasionalmente aparece adopta la forma de flujo mental sin divisiones clásicas entre hablante y oyente, puesto que ambos inciden en la persona de la protagonista (p. 62). La frustración de esta mujer se precipita en discursos mentales impuntuados (pp. 81-87). En los pronombres personales, aparte del «yo» de la conciencia, aparece el «tú» de la intimidad o reflejo del «yo» (Ahora estás sola, y acaso siempre sea así» (p. 94 y pp. 71, 81, etc.) y con la tercera persona la protagonista expresa su extrañamiento, distanciamiento de sí misma: «Había estrenado un novio. Ella lleva una blusa de seda» (p. 68).

Además de las claves alienantes de la religiosidad a nivel elemental de esta protagonista (actos rituales, tabúes prohibitivos o inhibidores, etc.) y el papel que cree que debe asumir de mujer casada-madre, típico de las sociedades tradicionales, existe un tercer elemento alienante relacionado con la cultura de las masas.

Durante todo el tiempo del relato —tiempo casi real— que coincide con el tiempo del lector, la bordadora oye el programa de discos dedicados por unos treinta y cinco minutos, pasatiempo típico del ocio alienante de la década de los cincuenta en España. El hilo conductor de este relato es la música y parcialmente el cine (6) no sólo desde el plano técnico mediante el establecimiento de asociaciones mentales sobre el que se apoya el pensamiento de la radioyente, sino que también influye en el tono afectivo, matizando con ligeras modificaciones el fondo fundamental de tristeza y melancolía que envuelve a la protagonista. El erotismo reprimido encuentra igualmente su más eficaz liberación en estas ensoñaciones músico-cinematográficas.

«La bordadora» está escrito en un lenguaje Kitsch, lenguaje «lírico» que la heroína consumía, aunque nunca es llevado al desgarro satírico (7).

En los tiempos verbales encontramos condicionales para expresar todo lo que podría haber ocurrido en un utópico

---

(6) Las pequeñas piezas musicales se describen a través de paráfrasis y a través de determinados elementos-pistas que sirven al lector para su identificación: «El Concierto de Varsovia», p. 63; «Monna Lisa», pp. 65-66; un bolero de Machín, p. 71; «Oh sole mio», p. 76; «El Mar» (bailable, no Debussy), p. 90; «Adelita», p. 93, etc.

(7) MARTÍNEZ-MENCHÉN intentó, según me ha confesado, el lenguaje de la novela rosa como vehículo de deformación cultural, pero semántica y estilísticamente este género presentaba una serie de obstáculos que obligaron al novelista a inclinarse por la música e indirectamente el cine.

pretérito, lo cual hubiese evitado la tristeza del presente; imperativos donde la soledad se vuelve a sí misma; gerundios que indican la indeterminación o duración del acontecer humano e imperfectos y subjuntivos para el monótono transcurrir del tiempo y la duda.

Los adjetivos aparecen frecuentemente agrupados en series de tres con un adverbio en «mente» para prolongar el instante que se escapa: «El seguía quieto, largo y delgado, ligeramente inclinado contra el muro» (p. 60); «Lánguida, dulce, suavemente, la melodía volvía sobre sí misma» (p. 61); «Insensible, lenta, misteriosamente, atardece» (p. 74).

En el mundo cromático de Martínez Menchén predomina el azul, color mágico con valor anímico que expresa la evasión, transmigración de la realidad física a la metafísica, esperanza ilimitada que los personajes quisieran alcanzar. La cualidad impresionista que caracteriza el tedio de estos personajes se proyecta a los objetos, los cuales aparecen dotados de formas imprecisas, difuminadas en los grises sin tono que también aluden a ese mundo completo, libre, absoluto donde nada se distingue (8).

Otro innominado personaje en «Bacanal» es presentado con cierta objetividad —en tercera persona en forma de monólogo interior indirecto— que permite tanto al autor como al lector cierto distanciamiento para juzgar la problemática de este caso clínico. Oficinista, soltero, escritor frustrado, producto típico de la anómica sociedad española, acude a una fiesta de amigos de forma mecánica, conducta que caracteriza todas sus acciones. Los compañeros de fiesta le aparecen como seres extraños, y la fiesta se convierte en un terrible vacío en el

---

(8) El predominio del azul es evidente en todo el relato: «sombra azul», p. 55; «moscardón azul», p. 56; «azul blando», p. 57; «frío azul del pescado», p. 64; «cielo azul», p. 68; «vestido azul», p. 72; «el oro se deslíe en un azul profundo», p. 74; «azules avenidas», p. 74; «mar azul», p. 77, etc. El gris, color sin tono como las vidas de los seres de *Variaciones*, aparece con cierta frecuencia solo o mezclado con el azul: «gris azul frío», p. 77; «gris azulado del mar», p. 91; «gris tristeza la llenaba», p. 94; «tendría una esbeltez gris», p. 78, etc.

que quiere ser absorbido. La presencia de Béjar, su antiguo compañero que ha alcanzado el éxito social y que en el pasado lo humilló y ridiculizó, le trae el recuerdo de los miedos de la infancia y la mala conciencia del fracaso, frustración de haber sido excluido de ese mundo feliz de burgueses. El reflejo de su fallido mundo le proyecta hacia su interior por rechazo o negación del objeto exterior y gráficamente se traduce este sentimiento inhibitorio en un adelgazamiento de la prosa:

—«Sí, trabajo en una oficina. No está mal, ¿sabes?

Ante todo un horario vacío. Es toda una vida, toda mi vida... Un pequeño cuarto, una pequeña celda, con estrecha apertura al espacio azul.

—Desde luego podría haber sido mejor. Pero tendría que haber sido en provincias y yo siempre he soñado en Madrid.

Madrid: la oficina. Una habitación, no un hogar; algo donde simplemente se duerme. A veces espectáculos. Y la vida cultural: alguna conferencia, alguna visita a un museo, a una biblioteca» (p. 107).

Este recurso adopta una especial modalidad en las páginas 110-113 mediante el desarrollo del concepto encerrado en la última palabra del párrafo, término que se repite para elaborarlo mediante una disposición tipográfica más apretada para penetrar en las apartadas vivencias del personaje: «Una asociación y un factor común: la fortaleza...

La fortaleza.

Porque de niño él había tenido largas y delgadas piernas, y largos y flacos brazos, y un tórax pequeño, una pequeña caja que demasiado pronto temblaba de fatiga. Y todo, acaso, porque él no había tenido una alimentación con las suficientes calorías, porque había

118

nacido con la maldita y hereditaria marca: la pobreza.

La pobreza.

Que no es tan sólo un eterno viejo vestido, un viejo pantalón de pana que se limpia y cuida para salvar la cotidiana y ansiosa revista de la madre» (pp. 110-111).

Con la bebida el personaje inicia un movimiento desalienante, caracterizado por una vuelta al recuerdo, al pasado hecho de inconstancias, miedos y frustraciones —que corresponde a la letra cursiva de las páginas 114-115 o retorno al añorado abandono femenino («El lento adormecimiento sobre un regazo femenino», p. 120). La pérdida de la relación amorosa materna, ser con el que se había identificado bajo forma de dependencia, determina la pérdida de su identidad y consecuente desamparo («un triste sentir de desamparo, de vacío, de soledad, de derrota», p. 119). Por ser esta —la madre— el vínculo afectivo que por no haber sido sustituido prolonga el desajuste emocional del personaje: «Y pensaba en su vida, en aquel amor soñado, amor sin amada. Mujer siempre presente, siempre viva en su irrealidad, en el amor juvenil que nunca tuvo» (p. 121). La bebida le sirve para combatir su aislamiento y timidez y provoca esa acción que enlaza sujeto y realidad que le permite incorporarse a la reunión, pero ya despojado de su «yo verdadero» (p. 126): «Era como si se hubiese desdoblado en dos personas y nada pudiera importarle a ella, a la verdadera, lo que pudiera ocurrirle a la otra, la hermana, la sombra indestructible» (p. 126). Lo que lleva a cabo es el enfrentamiento con el que cree que es el yo auténtico, pero el procedimiento en sí es falso, porque cuando sale de sí y se exterioriza —como en el discurso a sus amigos— pierde su interioridad, lo cual constituye una forma de alienación, creándose un falso sentido de autónoma identidad. Al final de su borrachera le ataca una náusea físico-moral contra su pasada vida y el presente actuar, así como lo absurdo de su existencia (p. 128), y es después de esta náusea cuando recupera su perdido orgullo y carácter para por primera y última vez, convertirse en el centro de atención con su discurso de despedida. El que en éste se expresa es un yo falso cuyas palabras no guardan relación con su personalidad ni comunican nada, excepto lo que a los otros les gustaría oír (p. 140), lo cual corresponde a la idealizada imagen que se ha construido por no poder tolerar la que en la actualidad tiene. Inmediatamente después del discurso de apoderan del personaje la desesperanza y la soledad como algo a lo que fatalmente se hallara condenado: «Sonó una salva de aplausos. Sintióse palmoteado, felicitado. Pero todo quedaba muy lejos. Ya sólo le quedaba el cansancio y la tristeza; y todos le brindaban un definitivo aislamiento» (p. 143).

El retorno a su solitario cuarto le pone de nuevo frente al fatal círculo temporal de su destino —oficina-restaurante-«Metro»-piso— del que no puede evadirse. Antes de caer en el sueño donde desaparecerá la escisión o esquizofrenia que le tortura, hace un examen de conciencia en el que el protagonista deja escapar el fluir de su no inhibido pensamiento que corresponde al impuntuado texto entre las páginas 144-151 y cuyo tema central es la gratuidad de su existencia, la conciencia del fracaso de su vida, su soledad e incapacidad de mantener su aflicción anímica ante la que el tiempo se muestra insensible (9).

En «Las cosas» —cuarto momento de *Cinco variaciones*— nos encontramos con este personaje (10) que en un sábado

_____

(9) «Porque lo único cierto serán los años y la conciencia del fracaso todos triunfaron hicieron un hogar poco más o menos llegaron a lo que se propusieron y yo aquí solo solo solo y pobre hundido sin más que palabras y pensamientos y sueños e intentar engañar a todos pero sin poder engañarme a mí mismo es inútil fingir estoy hundido ahora aquí esperando el fin viendo el fin sin poder siquiera rebelarme sin poder estallar en la desesperación el dolor trágico...», p. 151.

(10) Es la primera vez que aparece, aunque indirectamente, el nombre de un personaje: «que ya la hermana no le gritaría, no le

—ocaso de la semana— día de difuntos, recuerda en la abandonada casa familiar los seres desaparecidos de su existencia (padres, hermano, hermana) que la han dejado sola con las cosas, las cuales le recuerdan constantemente la fugacidad de todo y la melancolía de lo que pudo ser y no fue: «Cosas que pudieron ocurrir: amor, felicidad, fortuna» (p. 176). Combate su soledad fundiéndose en corriente de sensaciones temporales para detener este tiempo —simbólicamente detenido en el viejo reloj (página 164)— que inexorablemente la conduce a su fatal destino: «Fundirse en un puro sentir, fundir su carne en una corriente de sensaciones, en un puro momento en el que estaba el tiempo detenido, pero inabordable, fugaz, la sombra del destino que en sus nervios había dejado el puro aleteo de su pasar cercano» (p. 161). La obsesión por la fugacidad del tiempo presente, del que quiere evadirse, proyecta al personaje a la evocación del tiempo repetitivo, monótono, intrahistórico, eterno: «Apenas habían llegado las primeras lluvias y ya se sentía en el aire el callado recogimiento de las tardes pasadas tras las vidrieras en las que resbalaba el agua mansa, dulcemente» (p. 153).

Julia, la hermana muerta, hizo las veces de la madre desaparecida, y representó como esta última el superego, la norma autoritaria que le impidió incluso casarse, pero que sin embargo constituye el único y último eslabón que puede unirla a su identidad.

En esta desolada casa el tiempo se ha detenido en las cosas del recuerdo de los miembros de su desaparecida familia y ella es incapaz de vivir sola en este lugar de fantasmas al que sin embargo acude en búsqueda inconsciente regresiva hacia el seno materno y familiar donde podría recobrar su perdida unidad: «Y ahora, todo lo que había amado, estaba muerto, y sólo quedaba la casa y su soledad... Y surgió por un momento, como un relámpago, el horror de todo aquello. Su des-

---

reñiría desde el piso de abajo: 'Luisa, esa luz, que corre el contador'», p. 170.

amparo, su frío, sus deseos de calor humano, su busca de alguien en quien apoyarse, en quien confiarse. Y las cosas extrañas, las personas extrañas, la indiferencia apenas teñida de compasión» (p. 193).

En «Las cosas», además de otros temas desarrollados en las otras variaciones, se presta especial importancia al fetichismo cosificador que la posesión de pequeños bienes de prestigio, fijadores de status, tiene para esta pequeña burguesía de tradición galdosiana. La frustración será la consecuencia de la falsedad esencial de esta identificación. La acción alienadora de esos pequeños fetiches inútiles, en los que los personajes han centrado su vida, se presentan ante la soledad existencial del personaje de una forma trágica: «No era simplemente dolor, el dolor amoroso de la pérdida. Era desamparo, vacío. Como si su vida quedase sin objeto. No vivir, simplemente existir; como un mueble, como un objeto más de aquella casa, de aquellos cuartos que ella había creado, conformado, dándole su alma y su espíritu...» (p. 185); «Y la hermana, que había hecho el fin de su vida de la posesión de todo aquello —cuartos, muebles, padres y hermanos, todo lo que ella llamaba su casa—, que había encadenado su vida a aquella casa, siempre pendiente de ella, cuidándola, mejorándola, evitando todo deterioro, todo envejecimiento, también había muerto» (p. 192). Al elemento alienador clasista se une la religiosidad cargada de fetichismo cosificador: «En el vestíbulo había una imagen de San Antonio. Era el patrón de papá, el que presidía la casa. Oh, no tiene luz. No me he acordado de poner las mariposas. Fue al cuarto de estar. Cogió del cajón de la máquina una caja de lamparillas y unos fósforos y fue dejando una luz y una oración ante cada imagen» (p. 194). Las resonancias azorinianas —primores de lo vulgar— de esta prosa son claras.

Climático episodio en el acontecer solitario de estos seres de *Cinco variaciones* es «Invierno» donde se nos presenta a un viejo que vive sin compañía alguna en una pensión. Este desamparado ser busca calor y refugio físico-moral en un café lleno de espejos donde se sedimentan los instantes presentes y pasados de todos los solitarios parroquianos que inútilmente intentan superar su incomunicación: «Sin embargo, a pesar de su escaso número, a pesar de verse tarde tras tarde, no se rompe el hielo de la soledad» (p. 197). El largo soliloquio de este triste ser nos introduce en los grises estadios de su infancia (p. 208) y su vida adulta (p. 210) para descubrirnos la presente frustración emocional de alguien que nunca conoció el amor (p. 230).

La idea presente de la muerte («Y ahora la idea de la muerte. De su muerte», p. 219) se combate mediante la repetición de vivencias pasadas, única forma de perduración: «Y ella sentada, mirando la última luz de la ventana vencida, cosiendo o bordando. Escenas tantas veces vistas, tan familiares...» (p. 229); «Y es como vivir múltiples veces lo ya vivido. Es como revivir, como resucitar» (p. 228). Los olvidos del personaje en su flujo mental no se producen gratuitamente (simple consecuencia de la arterioesclerosis) sino de una manera más «intencionada». Responden al mecanismo freudiano de olvidos encubridores y están siempre destinados a evitar una asociación que pueda llevar a los temas tabúes: enfermedad, decrepitud, muerte.

A veces quiere comunicarse con miembros de la tertulia, pero no se atreve, como en el caso de la señora opulenta de la mesa vecina (p. 224) con quien desearía compartir su soledad (p. 226), aunque nunca llega al acto de aproximación físico-moral por considerarlo inútil.

Finalmente se enfrenta al Ser Supremo tratando de que le justifique la nihilidad de su existencia, el haberle privado de su realización como ser total, es decir, como ser humano (11).

---

(11) «Juzgas por la vida, por lo que has hecho con la vida. Pero ¿es que nosotros hemos vivido? Soñar aquello que la vida tiene de grato; soñar la belleza, el amor, el triunfo, la perduración, la superación; y perdida la esperanza, soñar simplemente el consuelo de los demás: la comprensión, la comunicación cálida y cordial... Soñar todo esto, y al final encontrarnos sin nada más que un puñado de polvo, unos cuantos recuerdos: ya ves, un con-

El silencio divino, cuando el sufrimiento humano más necesitado está de comprensión, queda parcialmente compensado por la capacidad divina para provocar ensoñaciones en las que el personaje se libera —como cuando hunde su cabeza en los pechos de su provocativa compañera de mesa (p. 208)— temporalmente de su inescapable solitud.

El frío, la indiferencia divina, no puede eliminar la necesidad de amor que el humano siente y al fin de este relato el anciano ofrece refugio a su compañera contra el frío y la lluvia para alejarse unidos, perdiéndose eternamente.

Las cinco narraciones de Martínez Menchén presentan cierto nivel de abstracción en torno al problema de la soledad, tema que determina el mismo tipo de estructura narrativa en cada una de las secuencias. Todos los personajes son supervivientes de una familia, carentes del lazo afectivo materno que otorga el sentido de seguridad, identidad. Los ambientes físicos donde se desarrollan las vidas de los seres que pueblan este orbe novelístico se caracterizan por los tonos grises, oscuros, que aluden a ese mundo inconsciente donde reiteradamente vuelven para encontrar su perdida unidad. La soledad origina una situación intolerable en estos seres que quieren escapar a nivel consciente de esta situación en los subterráneos pasajes del subconsciente. La diurna actividad onírica de estos seres es otra forma o intento de superar la diferencia entre pasado, presente y futuro para así superar su crisis.

Estos cinco momentos vitales se caracterizan por la compasión del autor hacia sus personajes, movimiento que se traduce en una carga lírica o solidaridad del novelista con sus seres de ficción a los cuales siempre ve a su mismo nivel, ni por abajo ni por arriba. Sus personajes luchan angustiosamente por ser aceptados como personas, por comprender que de esta

_____

junto de sueños incumplidos. Puede que también en medio de ellos, resumen y centro de todos ellos, estuvieras Tú. Entonces no eras más que un sueño incumplido, como tantos otros. No puedes exigir que te alcancemos, cuando no fuimos capaces de alcanzar nada. No somos héroes. Apenas somos algo más que sombras. ¿Qué cuentas puedes pedirme por una vida que no se vivió?», pp. 240-241.

aceptación depende su salvación, pero esta esperanza raramente se cumple y el resultado es la culpabilidad o melancolía, el más grave estado depresivo por falta de afecto.

El contexto histórico —la España de la década de los cincuenta— es elemento inseparable del estético y Martínez Menchén expresa su compromiso social mediante la pintura de ese mundo de clase media baja, compuesto de profesionales que ejercen una profesión alienante, parados o mujeres encerradas en sus propios prejuicios clasistas. La vulgaridad de sus existencias, el no saber qué hacer con su tiempo, se traduce en una morosidad lingüística, no exenta de poesía, que constituye uno de los rasgos más predominantes del estilo del novelista y que hace recordar la prosa de *El Jarama*.

El tiempo representa, como hemos dicho, el motivo recurrente en *Cinco variaciones* y las implicaciones que del predominio de este elemento se desprenden son: a) brevedad del espacio cronológico de la acción en cada una de las fábulas; b) huellas del tiempo físico y espiritual que trasparentan todos los relatos en forma de ocasos, atardeceres otoñales, relojes parados, así como un predominio del protagonista anciano; c) evocación afectiva que se traduce en repeticiones y uso de modos y tiempos que reflejan el mundo monótono, intrahistórico, eterno, que puede aligerar la angustia del tiempo presente y el miedo al cercano futuro; d) subjetivismo que implica predominio de la imaginación en un intento del autor por contrarrestar el despersonalizado y mecanizado mundo donde se mueven sus seres, los cuales carecen incluso de nombre por hallarse inmersos en una anómica y anónima sociedad que poco les ayuda en la trágica búsqueda de su perdida identidad.

«LAS TAPIAS»:
DIEZ VARIACIONES SOBRE LA ALIENACION

El pensamiento dialéctico como instrumento de adaptación a lo real sufre en *Las tapias* (12) una profundización y orientación hacia la esquizofrenia donde el personaje, roto el débil contacto con su realidad social, acentúa el conflicto entre su yo y el mundo exterior dando lugar a una serie de locuras y psicosis maníaco-depresivas en las que la realidad queda sustituida por otra en un intento desesperado del subconsciente por escapar a situaciones intolerables a las que no se puede hacer frente conscientemente. *Las tapias* forman diez variaciones sobre una misma situación temática: la soledad.

Las barreras físicas y mentales, los muros que aíslan a los personajes en distintos mundos han sido explorados por Martínez Menchén en *Cinco variaciones* (13), relato donde aparece, como hemos visto, la frecuente alusión a fronteras materiales, intelectuales y metafísicas que separan, marginan, a los solitarios que se mueven en estas páginas.

En el prólogo de *Las tapias* se nos introduce en el orbe mental del niño que al pasar con el padre cazador por un manicomio, piensa que las tapias de éste lo defienden, separándolo del mal y el horror para posteriormente comprobar

_____

(12) Citamos por *Las Tapias*. Barcelona. Editorial Seix Barral, 1968.

(13) La palabra tapia que iba a dar título a la segunda novela aparece ocasionalmente en *Cinco Variaciones* como símbolo de muros de prejuicios que dividen y separan a los seres de estas narraciones. Véanse las páginas 11, 55, 61, 65, 114, 154, etc.

que la distinción oficial entre alienados oficiales y cuerdos tiene una muy vaga línea divisoria por tratarse de dimensiones que forman parte de la indivisible totalidad de la condición humana. El tono poético que encontramos desde las primeras páginas se adecua al carácter de los seres que por una u otra razón han sido sacados e inmovilizados fuera del espacio y del tiempo: «Todo parecía, en aquella hora tranquila del crepúsculo, envuelto en una serena inmovilidad, como si hubieran entrado en el mundo submarino de los sueños» (pp. 18-19).

La primera secuencia de *Las tapias* corresponde a Luis Aroque, sujeto que, por misteriosas razones, cae repentinamente en éxtasis, inmovilizado en un coma, estado de inhibición extrema por haber rechazado pasivamente el objeto, negándose a mantener un nexo con la realidad. Este ser se siente paradójicamente ausente y vacío de todo, pero, a la vez poseído de todo y por esto su cuerpo se convierte en receptáculo de conciencias vegetales, animales y racionales en una triple metamorfosis por la cual se transforma en depositario de incontables destinos que existían, existieron o iban a existir. El problema del absurdo del tiempo y la alienación han desaparecido en este sujeto —declarado oficialmente loco— en el que se ha alcanzado un momento pleno, unificante en armonía con todos y todo, casi en una vaga Edad Media, en un sueño atónito donde la palabra, que no comunicaba nada, ha sido eliminada en un mundo donde hasta los límites lingüísticos han desaparecido, y en una soledad que supone una concentración interna absoluta donde lo universal se ha alcanzado en éxtasis. Luis Aroque posibilita la total comunicación o aceptación de los destinos de los otros, en un mundo marcado por la violencia y la muerte, como vivencia intolerable: «Y sin embargo, ahora sé que las palabras son sólo la sombra engañosa de los sentires profundos, piedras rotas y desgastadas que usamos en nuestra división intentando con ellas reconstruir la unidad total perdida; la unidad total que gira en torno como un furioso enjambre. Porque ¿cómo puedo hablar de yo y de vosotros cuando yo soy vosotros, cuando al hablaros me hablo a mí mismo, cuando

127

vuestro temor es mi temor y vuestra estupefacción es la mía?»
(p. 39) y «él era el receptáculo de los incontables destinos,
apareciendo distante sonriendo ante los que no sabían y vivían
sin vivir y soñaban sin conocer su verdad profunda e inmo-
dificable» (p. 44).

Los personajes de Martínez Menchén, como los de Kafka,
se encuentran ante algo totalmente desconocido con lo que
buscan entablar relación, algo que dé sentido a su inquietud
y anhelo. El núcleo que lo absorbe totalmente, el «Aquello»
(p. 43) ha transformado a Luis Aroque —como el Gregorio
de la *Metamorfosis* kafkiana— en algo extraño que paradójicamente pone en tela de juicio la supuesta cordura de su
amigo ante la posibilidad de que Aroque no esté realmente
loco, y que por el contrario sea un favorecido en un mundo
desalienado en que la conciencia y angustia del vivir hubiesen
desaparecido. El más desposeído o alienado se ha recuperado
totalmente. Aroque tiene, debe estar loco para poder justificar el orden, la lógica en que se apoya el frágil orbe de los
sanos. Este personaje representa el triunfo contra la soledad
del hombre por alguien que paradójicamente no pudo encontrarse entre los suyos y fue condenado a encontrarse en la
pura visión de sí mismo. Liberándose para sí mismo se auto-
rrealiza, aunque en su proyección interna se objetiva él mismo.
Ese «yo» o centro de conciencia de Aroque transciende y so-
brevive la identidad psicológica en ese tipo de concentración
donde la totalidad emana solamente de la subjetividad, es decir,
de la soledad absoluta por la sintética abstracción que ha alcanzado del «para sí» o subjetividad consciente y el «en sí»
o realidad humana.

Sin memoria o conciencia de la muerte ha saltado el personaje todos los espacios temporales que los otros experimen-
tan angustiosamente hacia la muerte, muerte que aumenta
el absurdo de la existencia y explica el deseo de Aroque por
incorporarla plenamente a su existencia. Lo absurdo de la
relatividad de la realidad externa lo proyecta hacia ese absoluto que está generando el poder sobre su propio destino.

«Antes que venza la noche», segundo momento de *Las tapias,* se centra en un innominado contable y frustrado pintor que al final de la jornada y sin saber qué hacer se encuentra en el vacío «Metro» madrileño. En el desierto andén aparecen las figuras de un contable viejo y un borracho y entre ambos elige a este último en un deseo por explorar una posible vía de comunicación que pueda ayudarle a superar su esencial soledad: «pensando en esos borrachos que hablan y hablan, que se dirigen al primero que llega intentando entablar conversación; y en este deseo de entendernos que jamás se logra, pensando que, acaso algún día a través de todos estos caminos recorridos podía encontrar el mío» (p. 67). El diálogo con el monologante borracho no se establece, sino en la imaginación del personaje, el cual tiene conciencia de su angustia al darse cuenta que el lenguaje es inoperante para establecer la comunicación interpersonal: «Y comprendo la angustia de que nuestras palabras no puedan expresar lo que sentimos» (p. 59).

El borracho que ha desaparecido por el andén provoca en el personaje un sentimiento de culpabilidad por no haber perseverado en su intento para entablar un diálogo. Este autorreproche le trae el recuerdo de otro borracho que en otra ocasión vio abandonado como insecto en la calzada ante la impasibilidad de sus semejantes que lo acusan y condenan de extraño llamando a un guardia, denuncia en la que nuevamente se pone de manifiesto la esencial extranjeridad del ser humano.

Socialmente también se encuentra este ente de ficción aislado de su burguesa novia, mundo que desprecia y al que secretamente aspira, pero del que igualmente ha sido separado: «Rumiando la ira, que me llenaba mientras pensaba que era absurdo desperdiciar todos mis valores en aquella niña de padres ricos, que todo aquello era simplemente un encuentro ocasional» (p. 66). El protagonista imagina al contable por encarnar esta despreciativa profesión los valores de orden burgués que tanto el borracho como él mismo infringen.

El miedo a la soledad le hace desechar la idea de refugiarse en su triste habitación para seguir engañándose, como hasta ahora ha venido haciendo, combatiendo su soledad con la cultura —libros, discos, cuadros—. Desesperado, intenta superar el sentimiento de frío del alma, provocado por su dramática incomunicación con el único medio del que parece disponer: una copa de orujo, antes de que el abandono se haga más abrumador con la llegada de la noche.

«La opresión» alude a los insuperables obstáculos familiares, físicos, sexuales y morales con que la innominada lugareña, protagonista de este relato, ha de luchar obsesivamente en la cárcel de su casa y país. El dramático arranque de este episodio nos sitúa en el ambiente lorquiano de un pueblo vacío de hombres, los cuales se hallan en el exilio alemán, y en esta atmósfera pretrágica («calor oscuro y triste», «muertas mulas», p. 75) una mujer se consume esperando a las cinco de la tarde. La opresión está en función de la impaciencia provocada por la tardanza del amante (p. 82), sensación temporal que gravita pesadamente sobre todo el relato mediante la acumulación de símbolos temporales —el coser de tía y sobrina, la lluvia, etc.— que marcan el monótono transcurrir de las horas de la incierta espera en la que se anhela el retorno del ausente amante. La actitud de la tía que espía a su sobrina y a su ahijado Juan, crea un ambiente opresivo que asfixia y ahoga a la joven como si hubiera sido enterrada viva: «Y es ella, es ella la que está encerrada, es ella la que siente el ahogo de la piedra, es ella la que siente la angustia infinita del ahogo; piedra ya el aire, piedra la luz, piedra su sangre, piedra su respirar, piedra su ser entero» (p. 82). La envidia, los celos de la solitaria tía, cuyo marido está ausente, contra la joven protagonista, amante en el pasado de su hijo Pedro y actualmente de su ahijado Juan, culmina con el dolor del hijo que lleva la sobrina en sus entrañas y que se confunde con la sangre de la asesinada tía.

«Vieja, encantada mansión» se sitúa en el estático vivir de un pueblo minero —Linares, sitio donde nació el novelista— después de la caída de una clase —la burguesa— de las tres que componen el microcosmos de este pueblo (las otras dos corresponden a los mineros pobres y a los menos pobres regresados de Alemania). Al encerramiento del padre durante la Guerra Civil sigue el de las dos hermanas sobrevivientes del caduco mundo que su padre enterró. La soledad las sepulta en su propia casa que van tapiando habitación por habitación para borrar esas voces y ruidos del pasado que todavía intentan sobrevivir en el presente. Sin poder identificarse con el mundo exterior se sepultan estos personajes en vida ante una sociedad que pacientemente espera para apoderarse de la casa solariega. Ejemplifica este incidente los esfuerzos inútiles de un mundo arcaizante que todavía opone resistencia al devenir histórico de una época que va destruyendo los caducos muros de la clasista sociedad.

En «Casandra» el mundo de los psiquiatras —orbe alienado de aquellos que juegan el papel de curanderos de unos supuestos enfermos mentales— considera al Dr. Casado como un caso grave de enajenación. Este médico cree en la metapsicología como enfermedad de la cultura, encarnada en una débil nipona de familia noble que ha frustrado las esperanzas del padre que anhelaba un heredero masculino para perpetuar la casta. Esta falta de amor («La más precaria de sus cruces fue la falta absoluta de amor», p. 113), o ruptura de la relación afectiva con el padre, ha inhibido su desarrollo sexual impulsándola a la autodestrucción en un desdoblamiento de la personalidad donde trata de eliminar su componente femenino, idealizado sexualmente en la figura paterna que se ha opuesto a su unión interna. El insoportable sentimiento de soledad la impulsa a ser poseída por ella misma (masoquismo). El amor a sí misma, supremo acto de extrañamiento, compensa la carencia de la otra persona en quien poder ser absorbida.

La eliminación de los padres y la ciudad, últimos vínculos afectivos de esta joven, por la destrucción atómica, la proyecta a un mundo predominante sobre la lógica, de completa autoposesión e iluminación donde alcanza la lucidez más allá de las barreras de toda supuesta racionalidad.

Ese mundo lúcidamente sobrehumano se refleja en la segunda anécdota incluida en «Casandra» en la paz de una posesa

131

que percibe la solución a la psicosis mundial producida por el *affaire* de los missiles cubanos. La alienación total de este tipo de Casandra no se debe a la anomia, sino a la falta de objetivo vital que se traduce en miedo cósmico a la aniquilación. La necesidad de trascendencia ingénita en el hombre le hace elevarse a un estadio más allá de la razón y el orden vigentes. Cuanto más incontrolables son las fuerzas que lo dominan exteriormente menos humano se siente el ser humano y para escapar a esta locura se refugia en un mundo irracional al amparo de las incontrolables fuerzas foráneas.

La melancolía, tristeza hacia el objeto ignorado, de un joven huérfano es superada por la curiosidad infantil de vencer los obstáculos instituidos absurdamente por los mayores. La temida figura de El Demonio, simbolizado por el viejo Krupp, el potentado alemán enriquecido con las guerras, pierde todo su misterio al ser enfrentado con el niño y descubrir éste que el niño es un desahuciado viejo. Tiene este episodio el carácter de fábula política en la que el niño imagina ser el jefe de los espartaquistas, como su padre, el viejo luchador que cayó en la lucha antifascista defendiendo unos principios de justicia social que trató de inculcar en el hijo (p. 127). Ante la visión de la caducidad del mundo representado por el viejo, el niño rompe los falsos muros levantados por el miedo y los prejuicios clasistas, recobrando su confianza en él mismo y en el mundo (14).

En «Dédalo» asistimos al recorrido del monologante soliloquio que se resuelve entre el yo y el tú confesional —personaje que vaga sin dirección por el «Metro» y calles madrileñas preso de la manía persecutoria de que alguien le va a robar su invento. Irónicamente se nos relata su pasado y el insoportable ataque de alienación que sufrió como vendedor

---

(14) El episodio de «El demonio» —un tanto independiente de la estructura total de *Las Tapias*— se lo inspiró, según nos confiesa el autor, la vista de una gran finca cerca del Rhin, en las afueras de Düsseldorf, y la lectura del libro de Daniel Guerin *Fascismo y Gran Capital*.

de máquinas registradoras en la deshumanizada y burocratizada sociedad de consumo. Este personaje que no puede alcanzar su meta social en esta situación anómica se rebela, como el personaje kafkiano, contra el hecho de no poder alcanzar la moralidad sino por la sumisión y la acomodación.

En «Las luces de la laguna» un psiquiatra en su solitaria y melancólica madurez rememora tras unas vidrieras los recuerdos de su estancia como médico en aquel pueblo donde se marginó de un hecho —la locura colectiva— del que ahora se cree culpable. Con su intervención podría haber salvado a Lucía, la hija menor de Anuncia, que la colectividad enloquecida mató creyéndola portadora de la locura. Al médico se le dio, pues, la oportunidad de actuar, pero a la ética del hombre se opuso la profesional, provocando con su indiferencia la condenación de una inocente.

La culminación del sentimiento de soledad se recoge en la última parte de esta colección, «Un reflejo en las vidrieras», donde una solterona de provincias monologa durante más de una hora en un triste café madrileño el fracaso sentimental de su vida, mientras aguarda la compañía y el calor de su amigo casado, único refugio físico y moral a su trágico aislamiento.

En sus recuerdos encontramos las claves del estado actual de desolación de la innominada protagonista, la cual es el resultado de la rígida moral española de prohibiciones que cooperó a imposibilitar su casamiento, único escape social y vital de la mujer española, forma de alienación ante la que todo queda totalmente subordinado: «Pero allí es (el novio) como una obsesión. No hay otra cosa, toda la vida eso, y si no llega... bueno entonces es como si estuviera muerta» (p. 203). Este mundo sentimentalmente destruido, de ilusiones rotas, nos proyecta a través del relato hacia una obsesiva tristeza o melancolía que se resuelve en estado maníacodepresivo agudo. La neurosis lleva al personaje a sus recuerdos infantiles donde de niña se la margina de los juegos y de adulta se la separa de ciertas compañías por prejuicios clasistas. Esta ambigüedad contradictoria frente a la realidad o deseo natural de satisfacer sus inclinaciones sociosexuales se resuelve en depresión por incompatibilidad entre la norma ética familiar y sus perentorias y vitales necesidades. Su postración queda momentáneamente superada cuando por un instante se identifica con su pasado, viviendo ese recuerdo de nuevo, liberándose (pp. 221-222). Esta circunstancia marca la ruptura con el querido, porque esa realidad irreversible donde hubiese estado su salvación se le impone con tanta fuerza que hace insufrible el presente.

Addenda.

En «Triángulo» (15), última obra de Martínez Menchén, se reiteran y sintetizan los puntos centrales de la preocupación de este novelista. Un innominado personaje femenino se nos aparece en tres planos temporales para la recordación de algo misterioso que le ocurre a la protagonista: a) recuerdo del Club Yacaré donde estuvo con Javier, su marido; b) tarde de otoño, tres meses después de Yacaré, cuando Javier —su actual esposo— la acariciaba, momento en que ella empezó a notar algo extraño; c) presente, en la cama con su marido cuando la transformación se ha efectuado. La indecisa actitud de Javier, su timidez ante los camareros, tan impropia de éste, es lo que le hace recordar a su antiguo novio, Nito, en quien esta inseguridad era algo permanente.

La recordación es un análisis de conciencia en el que esta mujer se autorreprocha su dureza y crueldad hacia el indeciso, tímido y amoroso Nito, ante cuyo afecto opuso ella una actitud sadomasoquística, abusando de su ternura, humillándolo, controlándolo, movimiento que constituye una forma de posesión: «aquel extraño idilio, aquella relación sin sentido, sin saber bien por qué, acaso por dejadez o tedio, acaso —ella no quería confesárselo, pero a veces lo intuía— por simple crueldad;

_____

(15) «Triángulo», *Papeles de Son Armadans,* año XVI, tomo LX, núm. CLXXIX, febrero, 1971, pp. 161-174.

gozando y entristeciéndose a la vez con aquel suplicar, con aquellos celos que ella aviva con sus mentiras...» (p. 167, «Triángulo»).

En el segundo momento de esta breve narración la protagonista se pone en lugar de Nito y ahora es controlada por su autoritario marido, relación en la que descubre el vacío provocado por la soledad del amor y que le conduce a la recreación de objetos e instantes vividos con Nito.

El triángulo —recuerdo de Nito, ausencia amorosa de Javier, presencia de Javier— se resuelve trágicamente mediante la transformación del ahora odiado marido en el deseado, ahora muerto, Nito.

Predomina en «Triángulo» ese ambiente de tristeza tan típico de los escritos de Martínez Menchén. La palabra «melancolía» aparece citada catorce veces y aparecen también las conocidas tardes otoñales y la agonía del paso del tiempo se refleja en los imperfectos, las formas durativas del gerundio, las repeticiones de partículas, nombres, verbos y conjunciones. La innovación de este texto consiste en el uso de la puntuación o uso sistemático del punto y la coma para expresar las grandes pausas que requiere la rememoración de la protagonista, y los puntos suspensivos seguidos de la copulativa «y» que provocan enlaces mentales en ese tiempo de las intuiciones.

LA DIMENSION TEMPORAL EN
«VOLVERAS A REGION», DE JUAN BENET

Volverás a Región, de Juan Benet, constituye la búsqueda del tiempo perdido de unos seres, especialmente del Dr. Sebastián y la hija de Gamallo, quienes a través de soliloquios-dialogados exploran en su dimensión temporal, entendida ésta como duración o tiempo psicológico, la aprehensión de experiencias vitales en el pasado que quedaron en simple proyecto, frustrando todo tipo de solución a los problemas que sobre su identidad se plantean estos personajes en el presente.

La experiencia temporal en *Volverás a Región* afecta esencialmente a la conciencia duracional, personal o subjetiva, la cual se integra en el tiempo objetivo o cronológico, así como en el espacio (Región) que el tiempo requiere para encontrar su certidumbre. La memoria vehiculiza la captación de esos momentos únicos (o segunda memoria, que Proust distinguía de la memoria habitual o condicionada por la simple repetición), para alcanzar la plenitud de ciertas vivencias pasadas en las que los personajes tratan inútilmente de encontrar una justificación a la ruina pasada y la cesación del proceso destructivo interno que en el presente sufren. El conflicto queda planteado entre la heterogeneidad o salvación individual y la homogeneidad o fin trágico de la vida, y se resuelve, como vamos a ver, en favor de esta última instancia, es decir, en el olvido o la nada.

Una breve ubicación literaria de Benet nos ayudará a una mejor apreciación de las coordenadas histórico-culturales en que se mueve este autor. El realismo crítico-social de los componentes de la «Generación de Medio Siglo», es decir, aquellos escritores nacidos entre 1925-1935, cuya obra empieza a aparecer en la década de los cincuenta, pierde vigencia en la primera parte de la década de los sesenta por la imposibilidad del esperado cambio en las estructuras socio-económicas españolas. Esta nueva toma de conciencia proyecta al escritor de la «Generación de 1950» (J. Goytisolo, Luis Goytisolo, A. Ferres, García Hortelano, etc.) a la exploración de orbes intersubjetivos mediante la impugnación y superación del pasado instrumental literario. De un naturalismo, basado en las motivaciones y acciones del hombre externo, se pasa a la existencia psíquica, al hombre interno. La actitud de estos escritores obedece, pues, a los condicionamientos históricos del país que provocaron, como hemos dicho, el abandono de una literatura de denuncia, «antiestética», en favor de una narrativa basada en la búsqueda del sentido de la personalidad humana, ahondando en el fondo del caos donde subjetividad y objetividad han desaparecido.

La prolongada estancia de algunos de estos autores (J. Goytisolo, Ferres, López Pacheco, etc.) en el extranjero ha enriquecido, por la integración cultural a que el escritor se ve obligado, la cosmovisión del hombre y los módulos expresivos que trasladan esta experiencia vital. No es, pues, un afán innovador lo que caracteriza a esta «contraola», integrada por los así llamados «novísimos» (1), sino una nueva forma de apropia-

---

(1) «En los dos últimos años del quinquenio a que me he referido en el capítulo anterior (1965-70) la protesta irrumpe de lleno y vigorosamente, tomando las proporciones de un verdadero movimiento de rechazo, de una verdadera «Contraola» antirrealista en todos los sentidos, lo mismo en cuanto a la construcción y a la forma de la obra narrativa, que en cuanto a los motivos incitadores y a la sustancia interna de la misma. Esta actitud es lo que caracteriza, por encima de todo, al grupo de narradores que podríamos calificar de novísimos si tal cualificación no implicara una disparidad cronológica, de edad, que nos permitiera diferenciarlos temporalmente», CORRALES EGEA, *La novela Española Actual*. Madrid. Cuadernos para el Diálogo, 1971, p. 191.
En esta corriente novísima se integran dos promociones. En

ción de la realidad determinada por la subversión de valores que han condenado al hombre de fines del siglo xx a una radical incomunicación y desposesión. El escritor de la «Generación de Medio Siglo», sin abandonar el compromiso social con su momento histórico, ha encauzado sus modos expresivos hacia el compromiso con el lenguaje y con el minoritario grupo de lectores a los cuales se les exige una cooperación y participación total en la lectura-creación de la obra.

El iniciador de esta corriente innovadora es Martín Santos con *Tiempo de silencio* (1962) relato que inicia una dialecticidad en la novelística española mediante un discurso con el contexto histórico y con el lector basado en la ruptura-construcción de moldes ideológicos-expresivos en los que se había venido apoyando la narrativa española de posguerra. Entendió Martín Santos que la naturaleza de las contradicciones de la sociedad española necesitaba un nuevo instrumental literario capaz de articular la complejidad de la problemática psico-social del hombre de su tiempo. Juan Benet, amigo íntimo de Martín Santos, se inscribe de cierta forma en la corriente subjetivista que iniciara en 1962 el escritor-psiquiatra (2), distinguiéndose de éste por su divorcio con la problemática social.

Nacido en 1927 conoce Benet, como los miembros de la «Generación de Medio Siglo», la guerra de niño, conflicto que marcará la vida y obra de este autor (3). Ingeniero civil, vive

---

la primera se integran los escritores de la «Generación de 1950» que por las razones arriba apuntadas abandonaron el naturalismo o realismo crítico para indagar a distintos niveles de conciencia la desarticulación vital del hombre de nuestro tiempo. Se podrían incluir en este grupo de obras novísimas: *Reivindicación del conde Don Julián*, de J. Goytisolo; *En el Segundo Hemisferio y Ocho, siete, seis*, de A. Ferres; *El gran momento de Mary Tribune*, de García Hortelano; *Rey de Gatos*, de Concha Alós; *Leitmotiv*, de L. Leyva; *La saga/fuga de J. B.*, de Torrente Ballester, etc. La nueva generación estaría compuesta por autores nacidos entre 1940 y 1950: Ana María Moix, Sánchez Espeso, Fernández de Castro, etc.

(2) C. Barral cree que *Volverás a Región, El Jarama y Tiempo de silencio* marcan el contraste con la literatura social en estado de disolución, «30 años de literatura», *Cuadernos para el Diálogo*, mayo, 69, p. 41.

(3) Su padre muere en los primeros años de la Guerra Civil

Benet marginado de la vida cultural del país, excepto por el contacto personal con algunos escritores en las tertulias del Gambrinus (Sastre, Soler, Quintanilla) y el Café Gijón. *Revista Española,* la publicación que Antonio Rodríguez Moñino quiso poner en las manos de Ignacio Aldecoa, Sánchez Ferlosio y Alfonso Sastre, lleva a la publicación una pieza corta de teatro de Benet (4).

Por la fecha de nacimiento y la experiencia de la Guerra Civil como niño, pertenece Benet a la «Generación de 1950», pero por la tardía aparición de su obra, la peculiar recreación de orbes fantasmales, mediante un control matemático de la lengua y la sintaxis, así como por su falta de preocupación social parece acertado, como indica Gonzalo Sobejano, incluirlo en un grupo «independiente» (5). *Volverás a Región,* la primera gran obra de Benet, no obedece como afirma Corrales Egea, a un simple motivo de superación del neorrealismo precedente o a la actitud mimética hacia el «nouveau roman», sino a la unívoca forma de aprehensión de la realidad que este artista presenta. Tampoco representa esta novela «la posición más distante y extrema al tradicional realismo español, del que se aparta radicalmente» (6), afirmación un tanto gratuita

---

y este conflicto, según Benet, «fue lo que más influyó en él: verse separado de los padres, vivir las dos Españas y, por una de esas paradojas de la vida, desfilar en Madrid con los pioneros de Lenin y ver en San Sebastián el desfile de los falangistas», A. Núñez, «Encuentro con J. Benet», *Insula,* núm. 269, abril, 1969, p. 4.

(4) *Agonía Confutans.* Editorial Siglo XXI, 1971.

(5) *Novela española de nuestro tiempo.* Madrid. Edit. Prensa Española, 1970, p. 401.

(6) «Esta obra (*Volverás a Región*) hay que colocarla entre los diversos intentos que se han hecho desde que empezó a acusarse la decadencia del neorrealismo, a fin de sobrepasarlo y sustituirlo por un género de novela de otro tipo, aunque siempre más o menos opuesto a los cánones precedentes, y cuyo resultado ha sido, en definitiva, un ensayo de aclimatación del «nouveau roman». Los dos propósitos aparecen tan imbricados e interdependientes, que el deslinde no resulta nada claro», Corrales Egea, *La Novela Española Actual.* Madrid. Cuadernos para el Diálogo, 1971, p. 209. «*Volverás a Región,* de Juan Benet, representa la posición más distante frente al tradicional realismo español, del que se aparta radicalmente», E. Guillermo-J. Amelia Hernández, *La novelística española de los 60.* New York. Torres Library of Literary Studies, 1971, p. 129.

no sólo por los paradójicos frutos del realismo español (Góngora, Quevedo, Valle Inclán), sino especialmente porque la obra de un creador ha de ser concebida como forma de trabajo específica capaz de dar respuesta a la situación que su vida o circunstancia histórica le plantea, visión del mundo que en Benet se centra en los efectos destructivos que la ruina moral de la Guerra ha producido en la sique de sus personajes.

Las tres unidades del relato: *Tiempo-Lugar-Acción*.

El tiempo novelesco, el espacio cronológico en que se desarrolla la fábula de *Volverás a Región* (7) abarca desde 1925 a enero de 1939, concretándose en los combates que tuvieron lugar en Región durante 1936, 1937 y 1938. La andadura narrativa temporal corresponde a una noche («último sol de la tarde», p. 97; «no era aún de día cuando el doctor despertó», p. 312), de un año de la década de los sesenta según la predicción del padre del doctor (p. 126). Novela-noche en la que el Dr. Daniel Sebastián y la hija de Gamallo mantienen un diálogo que se nutre fundamentalmente de los soliloquios de ambos. La noche o tiempo de la acción evidencia más efecti-

---

(7) Cito por la primera edición: Barcelona. Edic. Destino, 1967. La obra de Benet está compuesta de los siguientes títulos: *Max*. Madrid. Revista Española, núm. 4, 1953; *Nunca llegarás a nada*. Madrid. Edic. Tebas, 1961 y Alianza Editorial, 1969; *La inspiración y el estilo*. Madrid. Ediciones de la Revista de Occidente, 1966; *Volverás a Región*. Barcelona. Edic. Destino, 1967; «Toledo sitiado». *Cuadernos Hispanoamericanos*, núm. 216, diciembre, 1967, pp. 571-588. «Agonía confutans». *Cuadernos Hispanoamericanos*, núm. 236, agosto, 1969, pp. 307-332; «De Canudos a Macondo». *Revista de Occidente*, enero, 1969, pp. 49-57; «Los padres». *El Urogallo*, 1 febrero 1970, pp. 62-66; *Una meditación*. Barcelona. Edit. Seix Barral, 1970; *Puerta de tierra*. Barcelona. Edit. Seix y Barral, 1970; *Una tumba*. Barcelona. Lumen, 1971; *Teatro*. Madrid. Edit. Siglo XXI, 1971 («Anastas o el origen de la constitución», «Agonía confutans», «Un caso de conciencia»); *Un viaje de invierno*. Barcelona. La Gaya Ciencia, 1972; Poesías: «Dos poemas». *El Urogallo*, III, sept-oct., 1972, pp. 7-8. *Barojiana*. Madrid. Taurus, 1972; *Cinco narraciones y dos fábulas*. Barcelona. La Gaya Ciencia, 1972; *La otra casa de Mazón*. Barcelona. Edit. Seix Barral, 1973. *Sub-Rosa*. Barcelona. La Gaya Ciencia, 1973.

vamente la interna movilidad que provoca el recuerdo, acentuando a la vez el carácter misterioso, fatalista, que envuelve el orbe de Región. Los personajes se nos dan sin descripción física, pues sólo su vida interior, fantasmal, interesa. Una noche, un lugar (la casa del doctor) y dos personajes, aunque la verdadera acción tiene lugar en la vida psíquica de estos y de aquí el desorden aparente que trasparenta el relato.

El diálogo (entre el yo actual y el pasado, entre el yo y el lector) marca el progreso mínimo de la acción narrativa (8), mera ilusión de un presente en un espacio vital donde lo que cuenta es el pasado. El diálogo, que aparece entrecomillado (lejos de la tradicional forma con guión), sirve para mejor marcar el encerramiento, ensimismamiento, en que se encuentran los protagonistas de la fábula. El vacío, la ruina en que se desenvuelven las criaturas de esta narración minimiza las acciones, lentificando el tiempo y recreando el detalle de esos seres espectrales que necesitan cierta estabilidad.

El tiempo novelístico, el ritmo narrativo, no obedece a la secuencia lógica temporal y el anacrónico «orden» novelesco de Benet —estructurado un tanto artificialmente en cuatro capítulos de 84, 89, 79 y 56 páginas respectivamente— obedece al hecho de que el tiempo descrito en Región está muerto y frente al fantasmal mundo que nos presenta Benet la cronología no cuenta.

La primera parte de la narración nos introduce en el clima físico-histórico de Región; la segunda se centra en la problemática temporal del doctor y su visitante femenino: la hija del coronel Gamallo; la tercera trata de la ruina de la Guerra Civil y la cuarta nos lleva a las consideraciones sobre las motivaciones que llevaron al doctor a su actual encerramiento, así como a la viajera a emprender su final itinerario. Básicamente el tema de la ruina —deterioro del contorno físico, social, individual— se presenta en la primera parte y las tres

_____

(8) La acción presente es mínima y el diálogo mantiene una tenue ilación en las pp. 96, 117, 120, 145, 147, 149, 180, 201, 245, 259, 265, 300, 301, 312.

restantes son un desarrollo de la primera, mediante la compleja técnica musical del fragmentarismo, el adelantamiento y el «ritornello».

Todo tiempo está encadenado a un espacio. Así como el yo esencial requiere para su realización un tiempo, éste, a su vez, se realiza en el espacio, lo cual resulta en la unidad espaciotemporal en la que el espacio no es la simple abstracción del tiempo, sino su concreta prolongación.

En *Volverás a Región* la subjetividad e irrealidad del vivir de los personajes tiene una concreta apoyatura histórica (Guerra Civil) en un específico lugar (Región). Tiempo y espacio se encuentran, pues, en acción recíproca y Región es el punto espacial del tiempo vivido donde la conciencia de los estados psicológicos de los personajes converge. El doctor y la hija de Gamallo reviven en Región las memorias de su destruido pasado. Región es el espacio donde el tiempo se ha inmovilizado, donde se localiza la angustia del hombre como el Dublín de Joyce, el Macondo de García Márquez y el Comala de Juan Rulfo.

Región constituye la realidad dada a la que se articula la realidad imaginada. La científica, y un tanto excesiva descripción de esta zona («La Sierra de Región, 2.480 metros de altitud en el vértice del Monje —al decir de los geodestas que nunca lo escalaron— y 1.665 en sus puntos de paso, los collados de Socéanos y La Requerida...», p. 36) sirve como contraposición a la realidad imaginada, al elemento mitológico, telúrico, poético que invade la geografía, «La Sierra de Región se presenta como un testigo enigmático, poco conocido e inquietante de tanto desorden y paroxismo» (p. 39). En Región se adecua la frustrada épica de la Guerra Civil con el juego de apariencias e irrealidad, es decir, con lo más temporal. El género épico tiene mayor flexibilidad para testimoniar el tiempo, la evocación en la que los tres tiempos se mezclan.

En Región, tierra de odios y muertes, la violencia externa no ha transformado el fondo de las cosas, sino que ha servido para confirmar la fatal ley histórica de esta tierra, la cual guarda la leyenda de «los caballeros cristianos que a lo largo de los siglos han caído en los combates del Torce» (p. 189) en unos montes testigos de los combates de las primeras guerras carlistas, donde «la historia y la leyenda» (p. 209) sitúa a una partida de misteriosos guerrilleros. Durante los primeros años del siglo xx, según los recuerdos juveniles del doctor, Región se inventó como sitio de descanso para disfrutar de los avances de la civilización (p. 217) y el progreso, los cuales no lograron destruir el reaccionario miedo de sus habitantes hacia los inventos técnicos, provocando un nuevo tipo de miedo del hombre «a sí mismo y sobre todo a sus semejantes» (p. 218).

El doctor cree que en Región se acepta resignadamente todo hecho regido por la ley mecánica del orden establecido por las coordenadas del odio y el miedo («sólo vivimos para nosotros, tan sólo es necesario un suelo de odios y rencor para alimentar y desarrollar y hacer prevalecer a la planta humana», p. 221). La Guerra Civil, conflicto que se asocia con la decadencia de la zona durante los combates que el grupo republicano dirigido por Ruibal opuso a los partidarios del gobierno de Burgos, vino a romper el absorto y atemporal vivir histórico de las gentes de Región, las cuales, ante el manifiesto para unirse contra las fuerzas nacionalistas dudan ante la amenaza de la ruptura del aburrimiento del olvido o limbo sideral en que vivían: «nadie quería leerlo, era demasiado terrible; lo más terrible era encontrar una finalidad de los actos y un motivo de lucha» (p. 32).

Gamallo es asignado al Estado Mayor en el verano de 1937 y los primeros contactos con Región se realizan el 13 y 27 de septiembre de 1938. Este militar nacionalista organiza el cuartelillo de operaciones precisamente en la clínica del Dr. Sebastián (donde el médico cuidó a la amante de Gamallo para escaparse posteriormente con ella). Gamallo muere en diciembre de 1938 sin poder haber roto la inviolabilidad de la montaña y el secreto de su atraso. La guerra termina igualmente sin haber resuelto nada y los fugitivos republicanos se pierden en la niebla en 1939, dejando las cosas como estaban en 1936, sin haber podido alterar el secular orden opresivo de Región. La sociedad se refugia de nuevo en la nueva paz provocada por la mera extinción del conflicto bélico, pues el hombre de Región había crecido y desarrollado en el miedo y la ruina, «toda su vida se habían alimentado de ruinas, nunca llegaron a ver cómo se pone una piedra» (p. 183).

El destino de los seres de *Volverás a Región* se halla determinado por el azar que en forma de objetos —moneda, cartas— o personas —barquera, Numa— afecta las vidas de los personajes del relato. La naturaleza, agreste, seca, de extraña flora y fauna, es protegida por el pastor Numa, el cual defiende la inviolabilidad del espacio temporal de lo muerto, de la decadencia. Este Numa, según el doctor, es la postrer esperanza de Región y su historia-leyenda (militar que habiendo amado a una mujer hasta la locura huyó despechado para ocultar sus voluntarias mutilaciones y cobrar venganza, p. 251) se identifica con la historia de Gamallo. El viejo Numa es el símbolo del tiempo-fatalidad, el mismo fatídico signo que anunciaría la muerte del doctor en Región y que marca esta tierra de odios: «tienen, como tantas razas habituales a la espera, un sentido de anticipación funeral del porvenir, pues qué otra anticipación del porvenir que no sea la cita con la muerte de esta tierra» (p. 51). De ese futuro concebido como violencia, destrucción, sólo puede preservarlos el Numa, guardián del supuesto paraíso perdido, hoy sombra e incomunicación: «Y todo el futuro suspendido en el vacío colgando de un hilo que ha de romperse al primer arrebato, ese deseo de violencia solamente frenado por un guarda forestal viejo y mudo» (p. 181). La vida del instinto en que vivían los habitantes de Región fue modificada por la historia (Guerra Civil) y puesta bajo una razón que no logró destruirla, como simboliza el Numa.

La ruina de Región se identifica, en la parábola *Volverás a Región,* con la del militar Gamallo, a quien en 1925 «una mujer adúltera, un donjuán de provincias y una moneda de

145

oro sobre la mesa de juego destruyeron su carrera y arruinaron su porvenir» (p. 67). Gamallo pierde la moneda y María Timoner contra el Jugador-Hortera que acuchilla su mano. La huida del doctor con María y el posterior abandono de ésta, obligan al doctor al casamiento con la hija del guardabarrera. El hijo de María Timoner y el Jugador, Luis I. Timoner, es el ahijado del doctor y amante de la hija de Gamallo. María Timoner morirá con la mano crispada sobre la famosa moneda que ha señalado el fatal destino a todos los que estuvieron en contacto con ella.

El desamoroso triángulo: *Doctor-Hija de Gamallo-Niño.*

El doctor y la hija de Gamallo —personaje este último que aparece como el más sensitivo del relato— mantienen un diálogo que en realidad es soliloquio más que monólogo interior, pues en el caso de estos personajes existe comunicación, mientras que en el monólogo interior es proceso psíquico desarticulado antes de ser formulado deliberadamente por las palabras. Este fantasmal diálogo expresa la radical soledad de dos seres cuya comunicación trata de establecerse con el pasado sin gran éxito, pues es el fatal porvenir el que definirá sus destinos. El doctor, como la casa, los objetos, el jardín donde se ha encerrado, simboliza un mundo ruinoso donde el tiempo parece haberse detenido, anulando toda esperanza en el futuro; «un hombre —identificado con el mobiliario—, ya entrado en años, contempla el atardecer en el cristal de la ventana, esa fortuita e ilusoria coloración (el jardín en abandono desde aquella hora del ayer —más acá y más allá de los climas, las estaciones, los años y las vigilias—...)» (p. 95). El inexorable transcurrir del tiempo hacia un porvenir vacío constituye el pensamiento obsesionante del doctor: «no creía en el tiempo ni en la salud del cuerpo; sabía que no existe porvenir ni las nevadas ni las avenidas del río» (p. 142). En su intemporal orbe el doctor quiere olvidar todo su pasado lleno de dolor, pero la hija de Gamallo le obliga a enfrentarse

146

con su total renuncia de la que se salva la necesidad de paz consigo mismo, «hay una reclusión y una renuncia y un abandono de todo menos de la paz consigo mismo, que no están dictados por la cobardía, sino por el orgullo» (p. 99). Esta intranquilidad espiritual proviene de su fracasada evasión con María Timoner y su compensatorio matrimonio con la hija del guardabarrera, esposa cuyo recuerdo vive en los objetos que ésta cosió durante la ausencia de su marido (pp. 106, 107).

El destino de la hija de Gamallo está íntimamente relacionado con el de Región y el del doctor. El coronel Gamallo, su padre, fue el que llevó las operaciones contra Región, alterando el orden sagrado de este lugar en persecución del Jugador que le había ganado su dinero y su amante María Timoner. El hijo de ésta, Luis I. Timoner, combatiente republicano, será el amante de la hija de Gamallo, la cual aparece cuarentona durante la declinante tarde (p. 100) en la clínica del doctor, lugar «en el que sólo lo incurable tiene acogida y en el que no se sabe otra cosa que de la predestinación» (p. 101). Su llegada a Región —proyecto de vida metaforizado en el título de la novela— se efectúa a través de penoso viaje cuyo término pocos alcanzan, aunque aquellos que lo hacen permanecen en el lugar por haberse acostumbrado a la paz y al aislamiento (p. 102). La razón de la visita de esta desencantada joven es la de buscar una justificación, un consuelo o preservación de la experiencia amorosa que trata de restaurar (pp. 115-117). El viaje mítico, el regreso a Región, tiene como fin conquistar su propia individualidad en la casa: «Supongo que vengo por todo eso, en busca de una certeza y una repetición, a volver a pisar el lugar sagrado donde el conjuro de un perfume y un exorcismo resucitarán los héroes desaparecidos... no pretendo reconstruir nada ni desenterrar nada, pero sí quiero recobrar una certeza —lo exige una memoria viciosa, amamantada por su enfermiza mitomanía— que es lo único que puede justificar y paliar mi cuarentona desazón» (pp. 300-301). Al pasado va a buscar momentos de placer, consciente sin embargo de la dificultad de una lucha contra el tiempo.

La memoria puede servirle como forma posible de recuperación del tiempo de la gratificación y la realización.

La visitante actualiza a la vez la desazón del doctor para quien aparentemente el pasado no cuenta (p. 105) y cuyo futuro depende de fatídicos presagios, en contraposición a la hija de Gamallo, quien ha venido a «devolver un poco de calor a los años que tiene por delante» (p. 265).

La ausencia de la madre, las traumáticas experiencias amorosas con aquellos republicanos que tenían derecho a violarla (p. 163), la ausencia del padre, a quien sólo recuerda por la esporádica visita al colegio y por la conversación telefónica cuando es tomada como rehén, son vivencias que quedan sintetizadas en este pensamiento: «en algo más que una semana sufrí todas las consecuencias: un padre muerto, un amante desaparecido, una educación hecha trizas, un conocimiento del amor que me incapacitaba para el futuro» (p. 159).

El estado de desamparo y ruina del doctor y la hija de Gamallo es compartido por un tercer elemento: el misterioso niño que habita en el piso de arriba, personaje que abandonado por su madre vivió encerrado duante los últimos años de la guerra al cuidado de Adela hasta el fin de la Guerra Civil, cuando pasó a estar bajo la tutela del doctor. Este niño se relaciona también con la frustrada maternidad de la hija de Gamallo, la cual, al volver a Región, ve a este mismo niño con gafas que había visto en 1936 (p. 309), el cual pronuncia su nombre y el de su marido (p. 310).

El tiempo le ha sido igualmente usurpado a este niño, el cual se refugia en un pasado desprovisto de encanto infantil, movimiento simbolizado en ese juego de bolas que el pequeño practica a través de los años, en un deseo inconsciente de recuperar los frustrados proyectos juveniles que el pasado abortó. La separación y el encierro no han logrado eliminar los impulsos afectivos del niño con el lazo materno y al comunicarle el doctor que la viajera no es su madre éste lo apuñala (p. 314). El lamento del perro y el ruido del disparo del Numa simbolizan vuelta al orden fatal del memorioso monte de Región que, impasible ante los actos humanos, guarda y preserva el pasado. Para la viajera la búsqueda del pasado personal, del lugar, es la búsqueda del paraíso perdido que nunca alcanza, pues la hija de Gamallo morirá fundiéndose con el lugar que le arrebata la vida. El tema del regreso se convierte, pues, en el tema de la condenación.

Instinto-razón.

Volverás a Región presenta el conflicto entre instinto y razón. El doctor cree que la familia es la verdadera trampa de la razón y su dialogante, la hija de Gamallo, confirma esta idea de que la norma, es decir, el superego (razón), fue la causa de su condena, así como del sentimiento de culpabilidad por la supuesta transgresión moral cometida contra la colectividad. El desarrollo de su instinto no es posible en una sociedad represiva y, al término del relato, el principio de la realidad se le impone, conduciéndola hacia la muerte, después de la renuncia total del placer. La necesidad afectiva a nivel familiar y amistoso le fue negada por la sociedad-razón, trauma que le produce una insuperable esquizofrenia personal (p. 172). El doctor le aclara cómo la enajenación es el resultado actual, final lógico que sigue a la racionalización del impulso (pp. 254-255).

Aunque es la razón la que inicia el movimiento de captación del presente y el pasado, los personajes tratan de aprehender las motivaciones de una conducta determinada por el instinto. La forma en que se lleva a cabo la recreación del pasado temporal o relación del ser con las cosas es a través de la «sub-expresividad; su conformación a ellas (relación ser y cosas) se efectúa más desde los sentimientos del temor, odio, esperanza, que desde las categorías propias de la mente o praxis» (9). La viajera se deja guiar por el impulso vital del

---

(9) «El mundo pre-preceptivo de *Volverás a Región*» en *La sociedad española en la novela de la posguerra.* New York. Eliseo Torres & Sons, 1971, p. 174.

instinto, para captar la conciencia de su pasado al que vuelve más por racionalización afectiva (Proust) que por sensación (Bergson). El retorno al pasado se efectúa mediante la apoyatura mecánica provocada por distintas sensaciones: coche (luz y sonido), el disparo, el picaporte que clausuró una época, etc. (pp. 248, 249, 253, etc.).

Temporalidad.

En Benet, como en Faulkner, más que una filosofía del tiempo se trata de expresar el sentimiento de la conciencia. Los personajes buscan la totalidad mediante la incorporación de diversos momentos del pasado, presente y futuro, pero fundamentalmente el contenido de su conciencia explora los resortes que le den una fijeza y consistencia en el presente, porque «el pasado ilumina un presente desmemoriado» y el futuro «es un engaño de la vista» (p. 175). Los personajes saben que el pasado no produce nostalgia y se preguntan porque cuando ese pasado les fue presente no produjo nada. La futurización del pasado ha devenido un terrible presente. Respecto al pasado existen dos impulsos para el doctor y la viajera: a) olvidar ese pretérito lleno de experiencias desgraciadas; b) recuperarlo, totalizarlo, identificándose con él. El doctor ha detenido el tiempo y su desconcierto y estupor lo han mantenido en estado absorto, sin pasión (pp. 143-144), sin aparente preocupación por el pasado hasta la llegada de la viajera. Resultado de ese pasado exento de recuerdos afectivos es la presente soledad del doctor, quien llega incluso a pensar que su padre, el telegrafista, vivía bajo la tutela del Numa y que su madre era la que disparaba en una especie de fiesta saturnal que preparaba al hijo al regreso al útero: «para borrar los errores y descarríos de la edad presente y preparar el nacimiento de una nueva raza» (p. 144). Este pensamiento se relaciona con la «herencia arcaica» de Freud como forma de identificación del niño que careció de amores compensatorios.

El diálogo entre la viajera y el doctor es interrumpido por

esas voces del pasado a las que no presta atención, porque ni el pretérito, vivido como miedo, ni el futuro, vivido como angustia, pueden mitigar su desazón: «El presente ya pasó y todo lo que nos queda es lo que un día no pasó; el pasado tampoco es lo que fue, sino lo que no fue; sólo el futuro, lo que nos queda, es lo que ya ha sido» (p. 245). El pasado es la esencia del futuro, pero como ese pasado se recuerda en ruina, así el futuro también representa un tipo de destrucción. La viajera cree que el pasado suprimió el condensado futuro y, consciente de la irrealidad de todo presente, quiere regresar a esa edad de anteguerra donde gozaba de cierta armonía. Quiere recuperar la fe en el pasado y, por ende, en el futuro, mediante el rescate de cierta identidad en su pasada juventud para restaurar así la confianza en el futuro. Sin embargo la memoria, el vehículo de liberación, trata de justificar la ruina del presente: «Es cierto que la memoria desvirtúa, agranda y exagera, pero no es sólo eso; también inventa para dar una apariencia de vivido e ido a aquello que el presente niega» (p. 247). El tiempo, pues, defrauda toda esperanza de identificación a los personajes, pero mientras en la viajera existe una cierta esperanza en el futuro («En realidad el presente es muy poca cosa: casi todo fue», p. 260), en el doctor, la vivencia temporal se traduce en el último estado de desesperación (p. 264). La viajera reiteradamente pregunta sobre el motivo de su viaje, pues sabe que ha venido por una certeza «a pisar el lugar sagrado donde al conjuro de un perfume y un exorcismo resucitarán los héroes desaparecidos, los que inocularon en mis entrañas estériles las células cancerosas de su memoria, para recuperar su presa postrera» (p. 301), mientras el doctor busca el enigma de su destino en el dolor de la memoria que anuncia un terrible futuro. Ella tiene plena conciencia de que su salvación depende de su capacidad de identificación con esos momentos del pasado que contienen los fundamentos de su yo profundo: «Es cierto, yo no soy la que yo conozco porque la imagen que tengo de mí ha sido trazada en la soledad, purificada por el abandono e idealizada por el

151

amor propio pero no se corresponde no con la imagen de la joven que no acudió al teléfono pero sí al rincón del alemán...» (p. 305).

El fantasmal encuentro del doctor y la viajera termina con la muerte del primero y la desaparición de la segunda, ambos orientados no hacia el devenir, sino hacia la nada que lo precede, hacia la muerte o liberación total, final.

«UNA MEDITACION», DE BENET: SEGUNDA VARIACION SOBRE LA RUINA TEMPORAL

En 1925 aparece *Ideas sobre la novela,* de Ortega y Gasset, cuando el naturalismo había perdido su dominio director, y en 1968 se publica *Volverás a Región,* de Juan Benet, primera parte de una trilogía (*Una meditación,* 1969 y *Viaje de invierno,* 1972), que representa la reacción contra el realismo crítico de los miembros de la Generación de 1950. Benet, como Ortega, define la novela como intrascendente (1), sin propósito moral o social, sólo como un objeto de arte, por lo menos teóricamente, pues toda la obra de un creador es una forma de actividad humana como respuesta a una situación que le plantea la realidad con la cual es necesario estar vinculado. Los temas novelescos de este escritor madrileño —la ruina, la ruina de una ruina— son un puro pretexto para provocar toda una serie de reminiscencias sobre las que construye los fantasiosos orbes de sus personajes que herméticamente incomunican al lector de su realidad fáctica. Los generales títulos de su trilogía explican la carencia de acción, parálisis que resulta en una necesaria mejora de la técnica novelística, tesis —la de los nuevos derroteros de la novela por agotamiento de temas y énfasis en la técnica— que profé-

---

(1) «En definitiva, el último que me plantearía es el sociológico, la pregunta ¿para qué?, que no me preocupa nada. Escribo en definitiva porque me distrae, me entretiene, y es una de esas cosas de las que no me harto nunca», ANTONIO NÚÑEZ, «Encuentro con Juan Benet». *Insula,* 269, abril, 1969, p. 4.

tica y acertadamente pronosticó Ortega y Gasset. Novela pues la de Benet, morosa, cerrada, basada esencialmente en la realidad interna o profundidad psicológica mediante una técnica depurada.

Una meditación (2) presenta muchos puntos de contacto con *Volverás a Región,* primera obra del ciclo novelístico de Benet. El arbitrario espacio continúa siendo Región y el narrador de *Una meditación,* como el Dr. Sebastián y la hija de Gamallo, explora las vivencias del pasado para tomar conciencia de la ruina física-moral. Las coordenadas del odio y el miedo siguen determinando la conducta de los seres que pueblan estas ruinas. Algunos de los personajes de *Volverás a Región* reaparecen en *Una meditación*: el Dr. Sebastián, el médico de la tía María (p. 4); Gamallo (p. 108); Muerte, la persona que regenta la fonda (p. 124). La geografía mitológica de *Una meditación* presenta afinidades espaciales con la imaginaria Región y la Guerra Civil; sin tener la importancia temática que este conflicto presenta en *Volverás a Región,* sigue funcionando como el motivo central provocador de la ruina personal, familiar, geográfica y moral encarnada por el narrador desde su juventud. El narrador es partícipe y heredero del odio de su abuelo contra Bonaval, conflicto clasista cuyo origen se remonta a la Guerra Civil. En el plano temático es fundamental, como en *Volverás a Región,* el viaje, y el retorno del narrador-protagonista de *Una meditación* se puede equiparar al de la viajera de *Volverás a Región,* que llega a casa del doctor para comprobar la ruina pasada y su vacío futuro.

El motivo de la vuelta está íntimamente relacionado con la inútil búsqueda que de su mismidad llevan a cabo los personajes de *Una meditación,* itinerarios que pueden agruparse en dos categorías: a) Viajes de los que regresan del extranjero: Cayetano Corral vuelto en la década de los 40 e instalado en un almacén (p. 74); Leo regresa en los sesenta para restaurar

---

(2) *Una meditación.* Cito por la edición de Seix Barral. Barcelona, 1970.

su casa paterna (pp. 186-87); Mary, casada en el extranjero con Julián, vuelve después de una ausencia de seis años (p. 99); Bonaval retorna después de la Guerra Civil (p. 213). b) Itinerarios dentro de España: Jorge a la Cueva del Indio (p. 262); Carlo-Leo a la Sierra (pp. 159, 204); narrador que vuelve a la muerte del profesor Jorge y después de la desaparición de Mary (pp. 63, 64, 111, etc.).

El discurso del narrador nos pone en contacto con su vida interior, con la desesperada búsqueda de su unidad por la memoria, instrumento para incorporar su yo, sus vivencias y las de los que estuvieron en contacto con su vida desde la infancia. Ese sentido de lo oculto e inexplicable que pertenece a la naturaleza de las cosas y que el innominado narrador-personaje intenta descifrar, explica las aclaraciones que éste hace sobre los acontecimientos o sentimientos que registra y el tono indeciso, vacilante, con que nos introduce en el orbe de su fábula («según me contaron»; p. 233; «me temo», p. 215; «según he oído decir», p. 42; «como se verá más adelante (o no se verá, creo que eso da lo mismo)», p. 9, etc.). La acción narrada se extiende desde 1920, cuando el niño recuerda a su extravagante tío Alfonso (p. 172) a la década de los sesenta, cuando vuelve Leo (pp. 186-87). Los recuerdos del niño-narrador se van pautando con sus distintos regresos, cada uno de los cuales supone una nueva frustración: «y yo me repetía ¿a santo de qué voy a volver? ¿en dónde está la virtud de la prueba? ¿qué puedo encontrar que me sirva de clave para encontrar la razón —ya no la justificación— ni de ser lo que fui ni lo que esperé, ni de poder esperar ya otra cosa que no ser nada ni al menos poderme anticipar al no ser nada para ser algo dejando de ser nada?» (p. 65).

El padre de este niño-narrador desaparece al iniciarse la Guerra (p. 47) muriendo posteriormente de ansiedad (como su amigo, el republicano Enrique) durante el conflicto (p. 72), pérdida que marca el comienzo del carácter escéptico, pusilánime del narrador hacia el pasado y el futuro, especialmente después de las desapariciones de Jorge y Mary. La vuelta implica para este ente de ficción el enfrentamiento con la ruina y el odio, cuya semilla procedía de la enemistad entre su abuelo y la familia Ruan de Escaen (3), escisión que se ratifica por el matrimonio de Mary y Julián (Ruan), así como por la rivalidad provocada por la fabricación de licor entre el abuelo y Carlos Bonaval (Ruan). Toda narración, a pesar de su lógica inmediatez, es siempre evocación, memoria, recuperación de un pasado que los personajes actualizan como única vía de salvación individual, según nos confiesa el testigo central del relato: «Casi todo lo que ahora trato de traer a mis ojos tiene ese cariz, no como consecuencia de la ruina sino a causa de la memoria; debe ser la facultad de toda especie dolida, que necesita saber en parte lo que fue —o contar en sustitución del conocimiento de un paliativo engañoso— para vencer el dolor que le produce lo que es» (p. 52). Esta reminiscencia se efectúa en *Una meditación* por la racionalización afectiva (Proust) más que por la sensación. Como los datos de la memoria son limitados y arbitrarios, el narrador completa su testimonio con observaciones y digresiones sobre las causas que provocaron y mantuvieron su ruina. La reflexión distingue de la memoria habitual las circunstancias normales y no las anormales (pasión), coexistiendo junto a la memoria voluntaria la involuntaria que estimula la pasión: «El día en que se produce esa inexplicable e involuntaria emersión del recuerdo, toda una zona de penumbra, que parecía olvidada y sobre la que el afán de conocer había perdido todo estímulo» (p. 31).

El discurso se basa en el soliloquio obsesionante del niño-

---

(3) En la familia del abuelo del narrador se encuentran: su hija Isabel, casada con Luis Torrens; Luisa; Soledad Hocher y su hija Cristina; Mary, casada con el profesor y después divorciada de Julián y posteriormente unida al médico. En la familia rival, los Ruan: Jorge, padre y el hijo poeta; Elvira, hija del abuelo, casado con Antonio; el hijo Enrique (de quien Julián era tutor), desaparecido en la Guerra Civil, y Ricardo, el hermano del abuelo (que aparece igualmente como tío del narrador, p. 35). En el círculo de amigos de los Ruan: Carlos Bonaval, Sr. Hernau, Dr. Sebastián, Valentín Corral, padre de Cayetano y Emilio Ruiz, pariente lejano de los Corral.

adulto-narrador iniciado antes de la Guerra Civil, soliloquio por comunicar emociones y estados de conciencia próximos a la superficie más que identidad psíquica (monólogo interior). El contenido de los personajes se nos da sin ahondar en el subconsciente o mundo onírico y sin distinción en los distintos niveles de conciencia de los personajes, los cuales no se expresan según una lógica variedad lingüística, si exceptuamos el nivel metafórico cuya riqueza y variedad requiere un estudio separado. La conciencia memorística del niño-narrador aparece dotada de una gran capacidad de movimiento que al anotar la destrucción interior elimina todo tipo de organización mecánica: «Para la memoria no hay continuidad en ningún momento: una banda de tiempo oculto es devorada por el cuerpo y convertida en una serie de fragmentos dispersos, por obra del espíritu; para ella sólo el cuerpo es inmortal —evanescente pero inmortal— por lo mismo que es el espíritu lo que muere» (p. 31). No hay pues cronología, pues no hay nada que analizar, aunque sí existan digresiones, comentarios que más que aclarar acentúan el carácter inaprensible del tiempo.

La memoria —que rechaza la razón y la voluntad (p. 33)— aparece como archivador del pasado más que como conservador de éste. Memoria representativa que busca la continuidad perdida, el recuerdo como vivido y su presente actualización. Además de la función reguladora de la memoria, esta posee un nivel afectivo (pues sentir y conocer pueden, según Proust, reforzarse y no oponerse) que hace reaparecer estados anímicos, emotivos, en un afán de mantener la experiencia del pasado. El adulto trata de comprender desde el presente la oscilación, superposición y confusión de sus sentimientos hacia su prima Mary, a quien por primera vez acompañara a Escaen a jugar al croquet (p. 34). El recuerdo, a menudo, guarda un hecho (que no recoge la memoria) conservando ese sentimiento afectivo de la pasión que la memoria elimina (4), pues la pasión se sacrifica con el paso del tiempo a la

_____

(4) «Es el recuerdo, esto es, la memoria de la pasión, la me-

costumbre, la repetición. La reflexión trae pues, a veces, el elemento afectivo del personaje-narrador que fue registrado por la memoria y no el sentimiento, pero que posteriormente surge por asociaciones de carácter incidental: «Tiempo atrás hube de recordar que en aquel día y en aquella ocasión sufrí una caída —al pretender alcanzarles porque estaba retrasado— que me produjo, además de una herida en la rodilla de poca monta, la acongojante sensación de perderme la entrada de Mary en la terraza donde la esperaba la familia Ruan» (pp. 28-29). El gesto «heroico» de levantarse inmediatamente después de la caída para ver a Mary le explica al personaje en el presente la razón por la que Mary «había despertado su atracción y admiración» (p. 29). Este recuerdo se reitera en numerosas ocasiones como cuando con motivo del homenaje al poeta Jorge de Ruan el narrador evoca a Mary (entonces muerta, pp. 239-240). El personaje-narrador asocia con Mary el exilio cuando ésta se despide de Julián antes de la Guerra Civil (p. 50), o cuando Mary vuelve del exilio en los cuarenta (pp. 33, 34 y 100). Las consecuencias de este exilio, tras el cual se corre un telón (p. 50), provocan la vuelta a episodios anteriores a la Guerra de alguna forma relacionados con este destierro.

Meditación pues, como reflexión o reversión de la conciencia sobre sus propios actos. Reflexión psicológica donde el problema del conocimiento se relaciona con una actividad psíquica; reflexión que surgida de las ideas, no de las sensaciones, se proyecta sobre el pasado, pero sin separarse del presente, única e inescapable realidad del personaje-narrador.

---

moria específica de aquellos momentos de la existencia en los que la memoria no compareció para hacerlos posibles. Porque si la pasión no es otra cosa que el agente catalizador capaz de transformar un tiempo en suspensión en existencia depositada, en cuanto lo hace posible (y una vez que lo ha consumado) su presencia empieza a ser superflua, tanto como la de la memoria comienza a ser necesaria para reconocer la naturaleza del nuevo precipitado. Así que en cierto modo pasión y memoria no son nunca simultáneas sino fases diferentes de un proceso que se inicia con el momento de divergencia y descontento de un espíritu al que la memoria le distrae de su función para disociar el tiempo...». *Puerta de tierra.* Barcelona. Edit. Seix Barral, 1970, p. 96.

El homenaje al poeta desaparecido y el descubrimiento de la lápida constituyen unos tipos de asociación donde la memoria se relaciona con el odio que ha minado a Escaen y que finalmente mina la lápida (pp. 56, 111, 228 y 238). Por otra parte el presente tampoco es tiempo, pues la memoria, la facultad que lo organiza, lo anula al clasificarlo. El concepto de tiempo como posibilidad se esfuma, porque lo previsto (futuro) por la memoria es menos tiempo. El personaje niño-adulto se siente bajo la influencia de un pasado que no puede abolir y esto le enfrenta con un destino cuya futurización no es temida, pues lo que realmente le preocupa es la inalterabilidad del pasado como destino. El destino, al no aparecer asociado con ninguna sucesión cronológica que un posible determinismo temporal pudiera implicar, explica el multiperspectivismo y las ocasionales confusiones que sufre el narrador. El pasado aparece como un bloque, no como presente sucesivo, lo cual justifica ese continuo enunciativo sin divisiones en capítulos o convencional puntuación que adopta el texto.

El sentimiento afectivo introduce la esperanza que, aunque racionalmente justificada, no encuentra su realización cuando trata de cumplir las promesas que no se cumplieron en el pasado (p. 64). La imposibilidad de asimilar ese yo al pasado, cuyo mejor atractivo era la proyección del presente en cuanto acontecimiento completo, pasado, implica que la futurización, el destino, sólo sirve para acentuar la confusión del narrador: «La vida humana es demasiado larga en la cuenta de los días, pero muy breve en la de los momentos. Sin ese juego —y sin esa ilusión de poder convertir el tiempo en momento— ¿qué queda?» (p. 321). Después de haber fracasado en incorporar ese pasado a su yo, el personaje de *Una meditación* teme que su destino no esté configurado y que el amor (problemática solución) sólo sea un verdugo (p. 66) siendo la conciencia de ese futuro vacío lo que destruye el presente (p. 71).

El destino fatalista en Benet, como en Faulkner, proyecta al personaje y al lector a un enfrentamiento con las cosas que permanecen ocultas y que evidencian el carácter ominoso de

159

personas, lugares y objetos. En el primer apartado nos encontramos en *Una meditación* con el Numa (pp. 50, 149 y 246); la Muerte (pp. 124 y 307); el Indio (pp. 159, 204 y 262); el Penitente (pp. 297 y 300); Antonio, el hermano de Camila, que tiene un sentido fatalista de todo (p. 264); el tío Ricardo (cuyo equivalente en *Volverás a Región* sería el padre telegrafista del Dr. Sebastián) que anuncia con sus auriculares la Guerra (pp. 39, 40, 176, 217 y 246). El sitio que marca profundamente el destino de algunos de los personajes es el cobertizo de Cayetano Corral donde se conocen Carlos Bonaval y Leo (p. 199), mujer a la que el propio Cayetano admiraba. En este mismo sitio Carlos Bonaval conoció a Jorge y a este «altar del Tiempo y la Palidez» iría, después de haber sido incendiado, en acto expiatorio (pp. 82-83). Entre los objetos portadores de fatídicos presagios se destaca la carta de Cayetano Corral a Carlos Bonaval previniéndole de un posible peligro (pp. 205, 209, 280, 286, 287, 311 y 327) y el reloj (pp. 74, 80, 83, 165, 287 y 288).

La referencia al reloj averiado sirve de base a la idea central de la ruina o tiempo detenido que exento de continuidad pone de manifiesto los desórdenes de la conciencia, especialmente en relación con el vacío y paralización provocados después de la Guerra Civil (p. 90), conflicto que sume al pueblo en la quietud e irracionalidad, estatismo que se romperá con la conciencia del tiempo. El reloj parado simboliza ese compás de espera, frágil orden donde se aloja la latente hostilidad, la cual se hará patente cuando el reloj empiece a andar (pp. 285-86). El personaje que cuida la ausencia del sentido de la duración del reloj, cuyo posterior funcionamiento traerá imprevisibles males es, como ya hemos visto, el extravagante Cayetano Corral, vuelto en 1940 e instalado en el barracón para componer el reloj, «cuya obligación era marcar con el silencio el compás de espera entre la vida y la existencia» (p. 74). Realmente empieza a trabajar en el reloj cuando descubre que Leo y Bonaval se han ido de excursión a la Sierra, viaje que alterará, como veremos, la vida de muchos de los personajes. La acción de Cayetano parece determinada por el deseo de regularizar la ausencia de la amada o puesta en marcha de un tiempo que inexorablemente desemboca en un futuro catastrófico. El reloj que estuvo incapacitado para medir el tiempo se transforma en virtud de la pasión amorosa de Leo en agente destructivo. El propio reloj toma conciencia de que el tiempo es más pesado cuando puede ser advertido, medido (p. 81) y el pacto entre Cayetano y el reloj, basado en la abstracción del tiempo, se rompe después del abandono de Leo, cuando el tiempo se convierte en algo independiente, nefasto, contabilizador de un infausto futuro. Al ponerse en marcha el reloj —después de que Cayetano se entera de la muerte de Jorge y del incendio de la casa de Mary— el tiempo se transforma en pronosticador de tragedias (p. 82), pues su marcha regulada en el reloj implica una especie de robo de la existencia al tiempo por la contabilización de la cantidad de existencia que hay que pagar para el consumo de cuota de tiempo cronológico (5).

La puesta en marcha del reloj (p. 287) se transmite a todos los relojes del mundo, que hasta entonces han permanecido parados, expandiendo su mortal latido que afecta a seres y objetos (6). El genio maligno detenido por la inactividad de este instrumento renueva su perniciosa influencia a partir de la reparación de Cayetano Corral. El tiempo está íntimamente relacionado con el amor y la muerte, dos formas de

---

(5) «Pero al hombre —muy al contrario— no le es dado sino que lo tiene él de suyo— y es (y no paradójicamente) lo que tiene que dar a cambio de existir; es la dimensión heterogénea con todas aquellas que hacen posible su llegar a ser, la que da a cambio de dinero, de habitación, de amor y que —incluso durmiendo— sabe que está obligado a dar pausada y constantemente a cambio de seguir en el reino de los vivos». *Puerta de tierra...*, p. 91.

(6) Consecuencia del latido que afecta a todo es el fatalismo que envuelve las acciones últimas del penitente que pega fuego a la bolsa de gas que provocaría el hundimiento de la cueva donde está el Indio, donde también se encuentran el capataz y el patrón que esperan al Indio para matarle (p. 328); Camila no puede conciliar el sueño pensando en el hijo calvo que le nacerá, según profecía del barbudo cura, etc.

destemporalización. El amor constituye en la mayoría de los personajes de *Una meditación* la única posibilidad de lograr la liberación de miedos y terrores que les impidieron realizarse totalmente como seres humanos, y la idea de la muerte impregna la vida y acciones de los personajes de un sentido fatalista del tiempo.

Emilio Ruiz, el ex-falangista, trata de superar sus represiones y complejos sexuales (cuyo origen se encuentra en la Guerra Civil) en distintas aventuras amorosas que terminan en el fracaso. Leo lo desprecia (p. 188), como la belga que se refugió en la fonda, y la dueña de la pensión, la cual es consciente de la imposibilidad que la pasión sexual de Emilio pueda tener contra su soledad (pp. 308-309) (7).

En el poeta Jorge la rivalidad con el padre se canaliza, en forma compensatoria, por el allanamiento de la morada sexual de Camila, una de las dos hermanas prostitutas, la cual le fue presentada por otra de sus amantes, Rosa de Llanes (p. 260). Jorge regala una rata a Camila por asociación con el recuerdo del hombre que limpiando la cañería salió con una rata adherida al brazo, la cual despegaría mediante un mordisco. La cañería, como la cueva del Indio (llena de imágenes eróticas, p. 328), es un símbolo erótico del centro femenino relacionado con la vagina o lazo materno del que Jorge careció. La rata simboliza el mal, el castigo por la satisfacción del instinto. La liberación final de Jorge se produce en forma de muerte después de su viaje con Camila por la cueva del Indio (p. 262), fatal condena a la que parece precipitar una pasión amorosa en la que falsamente había confiado.

Carlos Bonaval y Leo viven, por su parte, una aventura amorosa en la que buscan una solución a su conflicto o enigma de sus vidas, aunque, como en los casos anteriores, la relación sexual los sume en el vacío. La actitud inicial de la relación

---

(7) Las descargas sexuales, forma de liberación de las represiones psicosomáticas de Emilio, se efectúan en forma de orgasmos que éste tiene a la puerta de la habitación de la dueña de la fonda (p. 135).

Carlos-Leo se basa en la mutua desconfianza (p. 322), pues ninguno quiere sacrificar su mismidad, aunque en ambos exista una tenue esperanza de montar sobre su mutua ruina una especie de compenetración, situación ambivalente de quien desea descubrir su yo en el otro, temiendo a la vez que el despertar de ese yo fuerce a la explicación de las razones por las que se mantuvo el yo encerrado tantos años: «Su recelo estaba justificado y su recíproca prudencia era la mejor prueba de la magnitud de la hecatombe que cualquiera de ellos —y sobre todo Bonaval— presentía si se decidía a tomar la pasividad del otro como una invitación a sus propias iniciativas... extraño respeto a su intimidad —que ninguno de los dos estaba dispuesto a entregar sin menoscabo, a cambio de cualquiera sabe qué conjeturas que dominaban sendos ánimos— para levantar sobre sus ruinas el edificio de una compenetración —inédita para ambos— por más singular, elaborada y pretenciosa, mucho más catastrófica» (p. 322). El problema de Carlos radica en su deseo de tener conciencia de su independencia, libertad y saber que sólo podrá conseguir su meta identificándose (por unión o eliminación) con ese alter ego que acaba de despertar y que, personificado, le persigue en la encrucijada (p. 235); su salvación depende de la fuerza con que rompa con ese pretérito que lo enclaustró bajo la utópica esperanza de un posible orden (p. 326). Carlos, poseyendo a Leo, trata de incorporar al amado a su caótico orden, pero ella cae en expresión beatífica en el olvido, y posteriormente Leo, continuando su viaje a Titelacer, tiene completa certeza de que sólo existe la nada. Carlos sale de la casa dejando a Leo en un éxtasis (o tiempo detenido que anuncia un futuro aciago) sobre la cama, en posición de cruz de San Andrés (símbolo de esas dos partes del alma, razón y pasión, unidas en un nuevo orden de contrarios) y al salir se tropieza con el hombre de amarillo, color que anteriormente aparece asociado con seres (capataz, penitente, patrón, Indio) condenados a otro trágico final. El acto de expiación de Carlos, restregándose con las cenizas del destruido barracón de Corral, se califica como «consuelo en

163

la desesperanza» (p. 329) de quien no encontró en la aventura, el viaje y el amor solución a su problema. El itinerario, la búsqueda, la salida del laberinto, termina con el retorno al comienzo del ciclo natural, a ese invierno que descomponiéndose en marzo (p. 313), no logra clausurar totalmente el invierno, estación que simboliza la salida del reino del temor, del miedo hacia un problemático futuro que se tornará fatalmente trágico: «En verdad casi toda historia de amor es un viaje a los infiernos, en el corazón del invierno, al término del cual el mundo curado de su parálisis recobra su animación. Bonaval lo sabía muy bien pero aun así no le dijo: 'Aguarda; no ha llegado todavía el momento de traer a colación tu lastimera experiencia. No existe experiencia amorosa como no existe tampoco para las estaciones. Existe la ley del ciclo y a ella es preciso atenerse...'» (p. 320). La animación, la pasión que el mundo recobra con la historia de amor o viaje a los infiernos de Carlos-Leo, se resuelve pues, trágicamente, y Bonaval, al sentir el agitado latir que ha invadido a la amada, toma conciencia de la inutilidad de su pasión convencido de que «el viaje de invierno había terminado» (p. 327).

RAZON, NOSTALGIA Y DESTINO DE «UN VIAJE DE INVIERNO», DE JUAN BENET

Un viaje de invierno, de Juan Benet, cierra el ciclo iniciado con *Volverás a Región* (1) en torno a la búsqueda del destino por unos personajes, aspiración que concluye en cada uno de los tres relatos con el fracaso de este proyecto de individuación.

La clave de *Un viaje de invierno* se encuentra en el viaje (2) que la hija de Gamallo emprende a la clínica del doctor para recobrar su individualidad y superar su desazón y soledad: «Supongo que vengo por todo eso, en busca de una certeza y una repetición, a volver a pisar el lugar sagrado donde al conjuro de un perfume y un exorcismo resucitarán los héroes desaparecidos, los que inocularon en mis entrañas estériles las células cancerosas de su memoria» (*Volverás a Región*, p. 301). En *Una meditación*, la segunda parte de la trilogía, el simbólico itinerario concluye con la fatal vuelta al ciclo natural de ese marzo que, después de un tenebroso invierno, anuncia una engañosa primavera portadora de signos ominosos. Cada viaje supone la renovación de una esperanza que la falsa pasión

---

(1) Las citas corresponden a *Volverás a Región*. Barcelona. Ed. Destino, 1967; *Una meditación*. Barcelona. Seix Barral, 1970; *Un viaje de invierno*, 2.ª ed. Barcelona. La Gaya Ciencia, 1971.
(2) El motivo del viaje —como la hija de Gamallo que va a la clínica a comprobar su ruina (*Volverás a Región*), y la misteriosa excursión que Leo y Bonaval hacen a la Sierra, alterando de esta forma el destino de muchas vidas (*Una meditación*)— vehiculiza la exploración que de sus vivencias llevan a cabo los personajes.

despierta en la razón, promesa que se satisface y que termina, como en el caso de Bonaval, con la toma de conciencia sobre la inutilidad de su pasión.

El análisis de los más destacados incidentes en *Un viaje de invierno* nos ayudará a penetrar en los secretos móviles de las conductas de unos personajes obsesionados por la aprehensión de un estado anímico con el que poder indentificar su secreto anhelo de libertad.

Viaje-Fiesta.

La indeterminación del viaje sugerida por el artículo de *Un viaje de invierno* parece aludir a los varios itinerarios que en el relato simbolizan la futilidad del regreso de los que intentan alcanzar la comprensión de su destino personal, así como la frustración que sigue a esta fallida tentativa por dilucidar su contingente existencia. Siete recorridos podrían considerarse en esta narración: a) la vuelta de Coré, la hija de Demetria, cuyo retorno se celebra con la fiesta; b) el posible regreso de su marido Amat, cuya marcha se conmemora; c) el viaje de los invitados a una fiesta que en principio constituía la celebración de los esponsales de Demetria y Amat; d) el viaje de Arturo; e) la salida de Demetria de la casa, después de doce años, para cancelar el pedido de las invitaciones; f) la llegada del Intruso, posible familiar de los Amat; g) la ruta del músico.

El reiterativo imperfecto nos introduce en la costumbre o rito de la celebración de la vuelta de la hija de Coré, preparada por su madre Demetria, evanescente personaje que aparece bajo los nombres de «La Oscura» y Nemesia (*Un viaje de invierno,* pp. 64 y 112) en confusa proteicidad que caracteriza a los personajes benetianos, nebulosos entes como esos recuerdos que inútilmente tratan de fijar y descifrar. La dimensión espacial de este relato continúa siendo una Región «yerma y desolada» (p. 18) en perfecta adecuación con el alucinado y solitario vivir de sus pobladores (3). La fiesta, sin embargo, conmemora actos espacio-históricamente no registrados, quizá porque la duración que el personaje trata de captar elimina toda impresión espacial.

Bajo el pretexto de la vuelta de su hija Coré, de cuya existencia hay prueba en cierto registro, y el posible retorno de su marido Amat, de cuya existencia no hay prueba fehaciente, vive Demetria su deseo en una soledad como condición, soledad que intenta romper con un acontecimiento donde poder ejercer su voluntad, introduciendo la sorpresa, pero sin hacer de esta interrupción una ley, una repetición. Demetria quiere provocar el cambio con una fiesta, rechazando todo registro histórico, para autodefenderse contra un destino amenazador. El viaje está, pues, indefectiblemente unido a la fiesta (no convocada, imaginada como respuesta y personificación de un vehemente deseo) cuyas implicaciones son: a) suspensión del rigor, la rutina; b) forma de hacer volver a su marido y combatir la soledad ocasionada con su marcha, superando igualmente la enemistad con la familia de los Amat; c) instrumento para ejercer su voluntad.

La repetición de la fiesta bajo fechas y circunstancias ambiguas que la continuidad no puede archivar crea un elemento de confusión que trae a un pretérito próximo el tiempo prerracional inmemorial («en el limbo del ser-fue», *Un viaje...*, p. 103) en un más allá de la frontera de todo acto de recordación. Este tipo de preterización, basado en una superación del vacío pasado y futuro, hace presente todo el contenido de la conciencia en la actualización de un instante que pese a su fugacidad constituye, durante la fiesta, «el único momento del año que merecería llamarse vivido, no frustrado por el hastío ni atormentado por el después» (*Un viaje...*, p. 116).

---

(3) La simbiosis entre el espacio novelesco como entidad autónoma y los personajes en *Volverás a Región* (recurso narrativo que podría extenderse a las otras dos partes de la trilogía) ha sido analizada por RICARDO GULLÓN en «Una región laberíntica que bien pudiera llamarse España», *Insula* (319)), junio, 1973, pp. 3 y 10.

La fiesta no es convocada pues, con ninguna finalidad, aunque el viajero se pregunte durante su trayecto por el objetivo de ésta, inquietud que se esfumará en el momento de llamar a la puerta de la casa de Demetria. La velada sólo representa una suspensión de un proceso continuativo cuyo comienzo viene marcado por la súbita presencia de un caballo destrabado, idea asociada con los invitados, que liberados de una engañosa razón e impulsados por el instinto, acuden a una celebración en la que recordarán formas de conducta mediante la recreación de una memoria crédula y no añorante. Los invitados acuden con la idea de anular en una noche todo el tiempo de unas costumbres que los condenan a un destino común. Todo indicio de la pasada fiesta, incluso las invitaciones, es destruido para salvaguardar sólo esas reminiscencias prerracionales que podrían haber ocurrido durante la fiesta: «No es tanto que se exigiera la garantía del secreto ni que se adoptara la actitud más fortificante hacia las costumbres, sino que, cualquiera que fuera la razón que les llevaba allí, era preciso homogeneizarla con el pecado del olvido, en la esperanza de encontrar en el olvido la huella de una fosilizada intención, de una frustrada voluntad sepultada por siglos y generaciones de deberes y costumbres» (*Un viaje...*, p. 178). Pasado apócrifo que vive en la memoria de alguien, pasado cualitativamente existencial como materia de infinitas posibilidades.

En el anual rito los invitados, hastiados y solitarios como Demetria, encuentran en la casa un estímulo (o la posibilidad de éste) viviendo la soledad de la anfitriona, de la cual extraen su razón (*Un viaje...*, p. 120). Demetria inculca en sus invitados su propia desazón de la misma forma que imbuyó el deseo nostálgico y la inquietud en su marido para que éste con su vuelta hiciese tolerable el vacío de su actual existencia. El presente, generador de una preterracional lucidez, es a la vez un engaño que no posibilita ningún tipo de permanencia (a la que alude el «espíritu de la porcelana»), inmutabilidad contra la que lucha Demetria, quien sólo confía en la reivindicación de lo contingente: «No, no quiero en mi casa porcelanas ni objetos de metal, nada que dure. Observa cómo aquí todo es inestable y putrescible, es como debe ser» (*Un viaje...*, p. 91). La anfitriona confía en la ambigüedad de un momento basado no en la memoria, sino en cierta forma de intuición de un hecho feliz evocador de una condición inocente donde era posible la libertad. El fin primordial de los invitados es igualmente encontrar un acto liberador que los redima de un destino caracterizado por la soledad, la congoja y la muerte.

Invitados, Arturo, Intruso.

Demetria ve por primera vez a Arturo cuando éste, a la puerta de su granja intenta recordar una canción oída en su niñez. Arturo está preocupado por una conciencia nostálgica que fatalmente le impulsa a emprender una marcha que termina en la casa de Demetria, la cual esperaba esta visita como algo insólito, sorprendente, no previsto. La llegada del visitante está relacionada con la restauración del orden físico y emocional de la casa, organización que Demetria rechaza por considerar que el restablecimiento de toda costumbre constituía la restauración de ese principio finalista negador de una posible lucidez sobre su problemática existencial. Arturo presiente que su visita a la casa constituirá el último ejercicio de su voluntad (libertad) y que después de la salida de la casa de Demetria su destino será fatalmente decidido en los abandonados caseríos de los Amat.

Las «decisiones» que Arturo toma están relacionadas con los indefectibles ciclos de la naturaleza, como la marcha de los grajos (pp. 40 y 46), o ese caballo que pese a tener trabadas las manos se mueve por un impulso semejante al de Arturo; ambos, racionales e irracionales, tratando de satisfacer una imperiosa ansiedad por la liberación de unos obstáculos que imposibilitan todo movimiento autónomo (pp. 41, 58 y 60). Su decisión coincide con ese momento de fin de verano (el otoño marcó la salida de Coré a la vez que anunciaba la fiesta de marzo) cuando en el poniente aparece la mula-hombrearado (p. 42) símbolo de las leyes intrahistóricas cuya contravención acarrea daños irreparables. Este determinismo que define la conducta de Arturo se contrapone al ejercicio de la voluntad y autoridad de su ama, quien introduce la incertidumbre en la vida de su sirviente cuando éste, una vez aprendidas sus tareas domésticas, empieza a cuestionar la finalidad de su trabajo. Demetria imprime la duda en el ánimo de Arturo, convenciéndolo de lo absurdo de su deseo por encontrarle una finalidad a una vida que, según ella, está definida por el deterioro: «En cuanto a los conocimientos 'parecen el tributo que es menester pagar para tener derecho a la desgracia' —aunque no le amonestaba, ni siquiera le prevenía, tan sólo deseaba hacerle saber una vez más que su camino sólo tenía una meta— 'es el gravamen de una memoria que recaudando tan sólo esperanzas conscientes, tributa por la desesperación de mañana'» (p. 230).

La ignorancia y el olvido que Demetria cultiva para combatir el tiempo de la memoria o la costumbre se concretizan en el bausán, objeto que le ayuda a soportar la soledad y que representa un homenaje a Amat, a quien sólo dejaría entrar en la casa para enriquecer la pudrición del tiempo. El destino de los seres que pueblan *Un viaje de invierno* está íntimamente relacionado con ciertos objetos (en *Volverás a Región* estos objetos son: moneda, carta, barca) que como el bausán, esa figurilla de hombre hecha de paja, funciona como un fetiche que sirve para retener el recuerdo de Amat. El ocultamiento del bausán a Arturo le sirve a Demetria para mantener el misterio y el control de su voluntad sobre el sirviente (pp. 50, 54, 66, 86, etc.) de quien esconde definitivamente el bausán cuando éste marcha hacia Mantua después de haber tomado conciencia (por esa iluminación producida por el contacto de su mano con la de Demetria) de un vacío y soledad insuperables: «Cerró con llave el compartimento donde guardaba el bausán. Sabía que no le volvería a ver, que al día siguiente —sin que entre ellos mediara una palabra— quedaría resuelto el contrato, con una muesca vertical sobre las runas inclinadas y horizontales de la jamba, con su esperada pero intempestiva marcha hacia los confines de Mantua. Que tal vez eso significara el final de muchas cosas, incluida la tradición del festejo y toda aquella larga serie de transgresiones a la ley de la espera, transferidas al bausán desde la memoria de Amat» (p. 232).

El papel con la palabra «Amat» en un lado y «Tama» en el otro simboliza la inversión dialéctica razón-espíritu que Amat adivinó la noche de la celebración de sus esponsales, enigma que se transmite a Arturo, quien encuentra este papel a la puerta de la alcoba de Demetria y, al entregar a su ama este testimonio del uso, toma conciencia del vacío decidiendo prolongar su estancia en la casa. Este papel posteriormente se transforma en el pañuelo que la vieja dama usa para limpiar las lágrimas provocadas por el sufrimiento del recuerdo nostálgico, pañuelo que Arturo arrojará finalmente a la basura para destruir toda prueba del hábito sentimental.

La avería eléctrica señala la aparición del invierno, así como el carácter indeterminado del destino de Arturo, estado anímico que se patentiza nuevamente en el segundo apagón cuando Demetria le pide que no alumbre nada (pp. 87, 97 y 98) (4) dándole a entender así que cualquier intento por aclarar el misterio de su soledad y vacío eliminaría la posibilidad de un promisorio futuro.

El Intruso es la persona que furtivamente abandona una bufanda en el festejo como protesta de los Amat por la boda de uno de éstos con Demetria, así como para introducir el testimonio de la costumbre entre aquellos que se habían convocado para romper la norma. El acto de dejar esta prenda en la fiesta tiene un carácter repetitivo y sugeridor de una añoranza contra la que lucha la anfitriona para centrar el interés en un momento vago sin referencias a pasado ni futuro.

---

(4) La luz de la linterna del músico que avanza a través de las sombras (pp. 157, 169, etc.), así como la mariposa que Demetria mantiene encendida, simbolizan la búsqueda de una luz que pueda aclarar el misterio de las vidas de estos seres.

La bufanda introduce la finalidad, pues alguien ha de venir a recogerla, pero es sólo el azar, manteniendo despierto el ánimo en continua espera, el que posibilita la incierta vuelta del Intruso. Contra las falsas promesas introducidas por el Intruso y su bufanda se alza la nota musical que en un momento determinado fusionará el instante con el espacio no irreversible, momento revelador de todo un destino que se produce por la melodía, pero precisamente en el momento en que ésta se interrumpe.

El Intruso, que como niño aparece en el Conservatorio acariciando una ilusión musical, simboliza la frustración de quien perseveró en la búsqueda de un triunfo futuro para volver fracasado de su experiencia a un arrabal. Esta fallida carrera fue presentada por Demetria, que entendía que su propósito por alcanzar un triunfo estaba condenado al fracaso, e invitando al músico a que toque en su fiesta trata de hacerle comprender que lo que distingue a todos los actos es su carencia de finalidad. Los consejos del bedel del Conservatorio, último representante de un orden decadente, traducen explícitamente el sentimiento de Demetria sobre la futilidad de las ambiciones del aspirante a músico famoso: «No te aturdas, joven —le dirá más tarde—, no pierdas el sentido porque te halles cansado de esperar. Pierde más bien la impaciencia. No tengas prisa. No tengas la menor prisa. Este es un oficio de difuntos, nunca mejor dicho. A la vista de lo que te espera te recomiendo calma, mucha calma. Dile a tu ánimo que no se envanezca y a tu vocación que no te tiente... y a tu ambición que se calle. Sábete que es lo único que se puede aprender aquí. Te olvidarás del apetito de la conquista y llegarás a saber —ya tal vez sólo aquí lo enseñen— que hay una disposición del espíritu para convertir la espera y la falta de sentido en arte verdadero» (p. 146).

El Intruso tiene su revelación o iluminación en el Conservatorio al escuchar al profesor las cuatro variaciones del vals, notas que hacen coincidir por minuto y medio el orden y el caos, el amor y el dolor. En este breve momento «intemporal» el vals brota en misteriosa concatenación provocada por el azar, del que el ejecutor (o inspirador, pues las manos no accionan el instrumento de donde surgen los sonidos) extrae la lección de que para el enfrentamiento con el destino (o la carencia de éste) no se necesita la música o la duración medible, sino la superación o abstracción de la historia (razón) y la esperanza (pp. 147-148).

La duda actúa pues, como la única realidad que manteniendo vigente la incertidumbre del ser humano potencia una probable revelación. La inmovilización instantánea, eternización del momento, provocada por la música no admite medición, aniquilación, pero posibilita la aprehensión de la realidad interna de la vida. La objetivación de esa realidad interna —sin pasado ni futuro— deviene éxtasis mágico de esa vivencia que se realiza en el instante; extraño momento que crea un nuevo presente formado por una conciencia fija donde presente e ignoto pretérito se unen en próspera simbiosis.

La actual frustración del músico tiene sus orígenes en la juventud de este personaje de extracción humilde, hijo de la mujer de la limpieza del Conservatorio, quien al escuchar de niño el vals proyecta su futuro en torno a esta melodía. El fracaso posterior clausura este vano sueño de la conciencia de este personaje que aparece como Arturo niño, quien, al oír la misma melodía siente, en virtud de la supremacía del instinto sobre la razón, que su destino está en las tierras de Mantua después de la fiesta donde la nostalgia le permitió por unas horas lograr una fugaz lucidez sobre su enigmático proceso vital (pp. 238-39).

La iluminación del músico se inicia en el café austríaco (el país del vals) donde el camarero, extraño instrumento del azar, informa al músico sobre la suerte de otro colega que como el músico de ahora buscaba un sentido o razón a su profesión y viaje. Persuadido de lo inútil de su intento, el músico volverá al arrabal donde las horas del vals del organillo proclaman la inanidad de un arte con el que trató de descifrar el misterio de la vida. Movido más por la conciencia nostálgica que por la reflexión, el músico se dirige (después de la invitación que le da Coré, p. 227) a la fiesta en busca de una respuesta a sus dudas. La primera intuición que tiene al llegar a este lugar en una noche de marzo es el de la sumersión en una «memoria sin fondo ni recuerdos» (p. 234), lúcido momento en el que se actualiza su infructuoso pasado (Conservatorio, viaje por Europa Central, etc.). El fracaso profesional se patentiza cuando al poner en práctica un arte en el que pasó la tercera parte de su vida, el piano inicia el vals sin su participación. La primera reacción del músico es la de refugiarse en el espíritu de la porcelana, identificándose con la impavidez de este objeto. Sin embargo el espíritu de la porcelana desaparece, como la fiesta y los invitados, mostrando así que nada hay imperecedero y que todo está sujeto al cambio, a la duración. Por esta razón, en la segunda fuga del piano, el músico y Demetria se sitúan más allá de la reflexión, en esa preterracionalidad fuera de los límites de la memoria.

Tiempo.

La duración de la fábula en *Un viaje de invierno* es mínima y se reduce —como en *Volverás a Región* y *Una meditación*— a una larga reflexión que se inicia con la marcha de Coré, la hija de Demetria, a principios del otoño, después de la cancelación de las invitaciones para la fiesta (p. 23), escritas durante la primera decena de marzo (p. 9). En *Un viaje de invierno* aparece la referencia a la Guerra Civil (pp. 134, 141 y 180) símbolo de la ruina pasada, cuya sombra se proyecta en el presente vivir de los personajes. Este conflicto sintetiza el estado de frustración de los habitantes de Región que creyeron encontrar en esta Guerra «una finalidad de los actos y un motivo de lucha» (*Volverás a Región,* p. 32).

Demetria vive sin historia, intemporalmente, con una «atrasada hoja de calendario» (p. 100), y en su soledad siente su propia vida de la forma más íntima, en una duración donde los heterogéneos estados de conciencia vienen marcados por el continuo flujo y reflujo de sus pensamientos (5). El sueño de la vigilia, tiempo de la reflexión de Demetria, es una forma posible de conocimiento por el que se sorprende al mundo, a las cosas en transformación. Indivisible duración en la que la repetición encierra la posible esperanza de retomar ese pretérito situado en el más allá donde se le reveló el destino mediante un radical acto de afirmación esencial: «Pero sobre todo no podía explicarlo en el curso de una velada por falta de tiempo, no podía... sino conservar su marcha y mantener el flujo de la huida, hacer permanentemente presente el vacío que dejó, repetir la fiesta que —con un mínimo de esfuerzo colectivo— nunca tendría lugar al haber sido inmemorialmente interrumpida por la repentina desaparición de aquel cuya presencia entre ellos celebraban y celebrarían sine die en cuanto la memoria supiese restituirse al instante furtivo circunspacial que reconociera como propio» (p. 122).

Así como en Proust la música sirve para recuperar el pasado, el vals de *Un viaje de invierno* constituye, como hemos visto, una prueba de la futilidad en aquellos que, como el músico, todo lo confían a este arte. La música, sin embargo, potencia ese momento especial capaz de revelar la realidad interior y total de un alma, instante único provocado por una avería eléctrica que, como en el reloj parado de *Una meditación,* ayuda a profundizar en la ruina de la conciencia. Esta adivinación tautológica se produce igualmente por la detención de la melodía. Instantaneidad que define el ser o verdadera realidad del objeto cuya actualidad es su única auténtica realidad.

En Demetria predomina cierto concepto de duración bergsoniano, es decir, la consideración del tiempo como elemento creador de formas nuevas que ayudan a un perfeccionamiento del destino en oposición a la teoría mecanicista que pretende

---

(5) A esta recurrente idea del fluir del pensamiento a través de todo el relato aluden las palabras griegas que abren *Un viaje de Invierno*: διά ρόου

deducir el futuro del pasado según la causalidad. La idea de la falacia de la historia (la repetición) se relaciona con el recuerdo de Demetria sobre la aparición de la vieja dama que abre a destiempo e imprevistamente la ventana, deteniendo con su acto la música y creando un vacío que muestra a sus invitados la futilidad de su esperanza en satisfacer su anhelo en el pasado o en el futuro. La perturbadora aparición de la vieja se equipara a la llegada del caballo calvo, el cual introduce el elemento intemporal (lo desprovisto de lo caedizo), símbolo de la inutilidad del festejo anual. El «espíritu de la porcelana» en el que la memoria y los recuerdos se han refugiado es un engaño como lo prueban la imprevisible aparición de la vieja y el caballo. El fin del vals supone el fin de los invitados de los cuales quedarán sólo sus disfraces, como prueba de un pasado que quiso convertirse en historia.

El itinerario de invierno que emprenden Arturo y el músico son pruebas irrefutables para Demetria de la supremacía de la fortuna sobre la razón, potencia esta última que continúa teniendo validez en tanto en cuanto supone una aceptable repetición que posibilita el cambio. Un fatalista impulso conduce a Arturo a casa de Demetria con la conciencia de la irreversibilidad de su decisión, de la imposibilidad de volver a un mundo ordenado, y este retorno a casa de la señora, al límite de la razón, le lleva igualmente a descubrir que tanto conocimiento como voluntad desembocan en la nada.

El destino no se aclara ni explica con la razón (finalidad) y azar e intención no se oponen y aparecen en *Un viaje de invierno* como dos aspectos de una misma realidad. La fiesta constituye ese punto más allá de la razón y la nostalgia donde el destino se aprehende por una comprensión intuitiva que no se opone a la causalidad (muerte) cuya comprensión es lógica y racional. Demetria, entre la causalidad y el ejercicio de su voluntad, trata de armonizar su deseo de salvación individual (heterogeneidad) y el fatalista fin a que parecen condenados todos sus actos personales e interpersonales (homogeneidad). Una especie de instinto en Demetria se vuelve forma de cono-

cimiento integrando razón y causalidad, inteligencia e instinto, en una unidad vital que se proyecta hacia la armonía
de un mágico instante que no está en el pasado ni en el futuro.
Intuición pues, como visión de la totalidad donde se conforman
la captación de nuestra conciencia (yo profundo) con los elementos superficiales, mecanizados, racionalizados.